JN003660

スマホ断食

コロナ禍のネットの功罪

藤原智美

潮新書
039

潮出版社

目次

まえがき 9
スマホ依存をリセットしよう 9
まず情報断食からスタートした 11
個人が消滅した社会がやってくるのか 13
スマホ歩きは人間的ではない 16
紙に固定された文章に興味はない子どもたち 18
マスク警察もマスク攻撃も根っこは似ている 20
散歩はスマホ断食になる 22
ちょっと、ぼんやりしよう 24

第一章　私の思い出はスマホに収まらない 27
スマホはスーパー・インフラだ 28
アメリカの三〇平米という極小住宅 30

スマホとモノ離れは表裏一体 32
モノへの関心を失いつつある世代 35
モノが発するメッセージにうんざりする 37
本棚の本が「早く読め」と私を叱りつける 39
モノの消費ではなくスマホ中心の生活 41
スマホは人生そのもの 43

第二章 スマホがもう一人の自分を勝手につくる 47

リアルな私は重すぎる 48
デジタルな私がだれかに見られる 50
私がどこかに保管されている 52
ポイントカードの落とし穴 55
個人情報をまとめてデジタルな私が誕生 57
ネット空間で見られつづける私 60

第三章　ネット社会の匿名性　65

手書きすることには意味がある　66
無神経で軽率な言葉であふれた世界　69
匿名性の罠　72
元少年Aという匿名のモンスター　75
匿名性が大手を振るネット時代　77
ネット言葉で公共性は守られる？　79

第四章　ネットでは「盗み」は知的作業なのか　81

フェイクを信じてしまうタイプの人　82
デジタル加工でどんな論文も作られる　84
ネット技術の進化が悪事をそそのかす　86

不正の起源は〇五年にある 89
嘘が現実を変える 91
ネットは二一世紀のモンスターメディア 93
スマホが偏見を生む 95
本を読んで視野を広げよう 97

第五章　コロナ禍が祭りをネットに移した 101

仮装の若者に占拠された渋谷 102
スマホがつくるハロウィン 105
自然発生的なハロウィン 106
ネットが新しい祭りをつくる 108
仮装は素顔を隠す仮面 111
街頭演劇としてのハロウィン 113
コロナ禍後は孤独のリハビリから始まる 114

第六章 「見られたい」という欲望 119

日本の成功体験としてのオリンピック 120
ネットで祭り化した市民マラソン 123
社会は祭りで成りたっている 125
歩行者が観光の目玉になる 128
広告トラックも祭り化の要素 130
盆踊りは仏教行事だった 135
かつてのケータイ小説も祭りだった 137

第七章 ネット動画との付き合い方 141

子どもでも動画を世界に発信できる 142
必要なスマホについての教育がない学校 144

投稿動画が過激化するのは宿命 146
フェイクニュースの裏を探れ 148
フェイク動画を打ち破るのは書き言葉 150

第八章　ネットが人を委縮させる 153

肉声よりパワフルなLINEの言葉 154
SNSは「私」を裸にする 157
冷めゆくネットユーザーの熱狂 161
ジョブズの夢の失墜 163
あなたをスマホが覗いている 164

第九章　紙の本が思考を鍛える 167

画面の言葉より紙の言葉に意味がある 168

対話のデジタル化は不可能 171
八歳で全員が常用漢字を覚える 174
手書きが脳を活性化させる 176
記憶にない言葉で考えることはできない 178
紙の本が教えてくれる知性への謙虚さ 181

第十章　スマホから逃れて自分を取り戻す 185

スマホが集中力を奪う 186
ネット離脱で文章が噴き出してくる 189
原稿用紙にはしぼりだすように書く 191
SNSに思考を合わせる 193
使っているつもりが「使われている」 195
スマホ的思考を捨てよう 198

あとがき――ネットは透明な厚いベールに包まれている 202

まえがき

スマホ依存状態をリセットしよう

二〇二〇年は新型コロナのパンデミックから始まりました。コロナ禍《か》の影響で、私の引きこもり生活は足かけ二年になります。この異常事態で仕事、生活、人間関係が大きく変わったという人も多いでしょう。

私の場合、創作と読書に向ける時間が減って、スマホを手にする時間が圧倒的に増えました。そのために読み残した本が机の上に溜《た》まり、原稿執筆も遅れるようになりました。大問題です。

持病持ちの身としてはコロナ感染への不安が強く、四六時中、コロナに関するニュースや情報をスマホで閲覧するようになりました。それが始まりです。これまであまり覗《のぞ》いたことがなかった動画サイトや映画、ドラマを視聴したり、まったく興味がなかった将棋中継などにも手を出すように――。

時にはとんでもないフェイク情報に遭遇することもありました。トランプ大統領誕生を後押ししたような陰謀論が、国内でもたくさん発信されていることを知り驚きました。

コロナ禍でたちまち広がったものに、オンラインの会議ツールや音声SNSがあります。ネットが提供するコミュニケーションのメニューはますます豊富になりました。

スマホは私の意識をさまざまな世界へ引き込み、つぎつぎに新しい場所へ誘導します。立ち止まって考える暇もなく、あっという間に時間がすぎていく。時がたつのも忘れて物事に集中できるというのは、とてもいいことのようですが、スマホをオフにしたあと、なぜか心身に疲労感を覚え、同時に深酒をやった後のような後悔の念がわき起こってくるのです。これはちょっとした依存症ではないか。

そこで三日間、スマホのスイッチを切ってみることにしました。「スマホ断食《だんじき》」です。スマホを断って、頭をリセットしようと考えたわけです。スマホ断食はコロナ禍の前には月に一度の割合でやっていたのですが、すっかり遠ざかっていました。おかげで最初の一日は、スマホについ手が伸びるのを抑えるのに苦労しました。

まず情報断食からスタートした

スマホを三日間断つスマホ断食のまえに、前段階の話があります。
〇八年「iPhone3G」が発売され爆発的なヒットとなりました。画面をタップして操作するスマホの先駆けとなった機種です。同じ年、私は『検索バカ』という本を書き、それを契機に挑戦したのが「情報断食」でした。

思い切って何かを始めようとするとき、それを言葉によって定義づけることができると、がぜんやる気が出てくるものです。情報断食という言葉は力強くて分かりやすい言葉です。分かりやすいというのは、私自身が無意識にその必要性を感じていたからでしょう。

三日間、パソコンもケータイも、ついでにテレビ、ラジオもすべてシャットアウトしました。活字以外の情報を断つことによって、それまでパソコンのネットサーフィンで二時間、三時間と費やすような情報漬けの生活から抜けだすことができました。

私は今から三五年前、ある寺に籠《こ》もって一週間断食をやったことがあります。食べ物を断ったときの空腹感に比べると、情報断食は案外簡単でした。

しかし食べ物を永久に断つことが不可能なように、情報も永続的にシャットアウトできるものではありません。完全な情報断絶は不可能でした。当時からすでにネットは、現代社会で生きていくために欠かせないものになっていました。

もちろん「書く」という私の仕事にネットは必要不可欠です。それならせめて、仕事に関係すること以外のネット接続をきっぱりやめてしまえばいいのですが、これまたむずかしい。原稿を書くためにパソコンをつけると、ついネットに手が出てしまいます。愛煙家が火のついたタバコを目の前に、「さあ禁煙だ」というようなものです。

そこで三日間の情報断食の後に、一日、二日の短い情報断ちを、月に一回、二回やることにしました。すると、いつのまにか、かつてのように野放図にネットにアクセスするということが減っていきました。ネットのアクセスを、ある程度コントロールすることができるようになったといっていいかもしれません。私は二台のパソコンを使っていますが、そのうちの一台はインターネット用のケーブルをはずして、仕事専用のワープロとして使うことにしました。この方法は今も続けています。

情報断食をやってしばらくすると、私はテレビの解説番組で情報断食をテーマに話をしたり、新聞にその記事を書いたりしました。すでにそのころになると、情報断食という言葉をそこかしこで耳にするようになっていました。どこの誰がいいだしたのか分かりませんが、デジタル情報一辺倒の流れに、多くの人が危機感や問題点を認識していたのでしょう。

当時私は情報へのアクセスを、根本でコントロールする必要があると感じていました。なぜなら、ほんとうに必要なのは大量の情報を入手することではなく、それを咀嚼《そしゃく》して自分の思いや考えに役立てることなのですから。人は情報にアクセスして、その上《うわ》っ面《つら》を通りすぎただけなのに、それで満足してしまいがちです。多くの情報に接すると、なんだかそれだけで賢くなった気になる。それは大いなる幻想です。

個人が消滅した社会がやってくるのか

『ネットで「つながる」ことの耐えられない軽さ』という本を出版したのは一四年でした。そのあとがきは「これからネット断食に入ります」という言葉でしめくくりました。ネット断食も情報断食の時と同じ三日間でした。

「情報」から「ネット」へと言葉を入れかえたのは、たんなる言葉遊びではありません。〇八年から一三年までの五年で、ネットの影響力が突出して増したように感じたからです。

情報といえば、そのほとんどはネット上にある。そんな時代になりました。

なぜ書物、新聞、テレビといった社会の中軸にあったメディアから離れていく人が多くなり、その一方でネットにどっぷり浸《つ》かる人が増えたのでしょうか。私はこう考えています。

たとえば本を読むのは一人です。「個人」で完結する行為。それに対してネットにアクセスしてSNS、ネットゲームを利用するという行為は相手がある相互的、「集団」的な行為です。

人には個と集団という二つのフィールドが存在する。読書では個の想像や思考を発展させることができますが、ネットの場合は何より他者とのつながりが必要になります。ネットの「つながっている」時間ではつねに誰か、どこかへの意識を捨てることはできないし、その誰か、どこかは常に応えを求めてくる。そのときあなたはあなたの閉じられた思考の中だけに止まっているわけにはいきません。

少し大げさにいえば、ネット社会とは「個が個を意識できる」、言葉をかえれば「あなたがあなただけでいられる」時間を剝奪《はくだつ》する社会です。しかし今では、自分自身に向けて言葉を発して、自分で答えをだす自力の知的活動を、ネットを使わない非効率で時代遅れな行為だと否定する傾向すらみられるようになりました。

たしかにネットは、とても居心地のいい場所でもあります。問いかけると答えはいつも返ってくる。ネット上のデジタル化された仮想の集団に身をおけば滞りなく時間は流れていく。そして人とのつながりを意識できる。というわけで、眠る時以外はいつもネットに接続中というような日常が生まれてしまいました。

今ではベッドに入ってもスマホを枕元に置いて眠る。「いつ呼ばれるかもしれないから」と二四時間待機の若者もいます。

将来、ネットとつながる装置は、手持ちのモバイルではなく、身につけるウエアラブルになり、やがて体内に埋めこまれてしまうかもしれません。ネットがダイレクトにあなた自身に接続されるというわけです。このとき個はネットの一つの単位にすぎなくなっているのかも。それはあなたがネットを使うのではなく、ネットにあなたが使われる、個が消滅した社会です。

学校でも最近は個性という言葉が以前ほどきかれなくなった。代わりに絆《きずな》、つながりが重視されます。祭りにおける群衆、学校における集団、あらゆる場所で個から集団へのシフトが進んでいます。

コロナ禍でよく耳にする言葉に「クラスター」があります。日本語でいえば群体。たとえばそれはブドウの房のような状態です。蟻塚《ありづか》にいるアリたちもクラスターです。アリは一匹では存在できない。群れでなければ生きていけない。これもクラスターの特徴。アリは巣全体が一つの生命体で、一匹のアリは人間の身体でいうところの細胞のようなものでしょう。人間の細胞はひと月もすると入れ替わります。

ネット社会が目指しているのは、こうした個が個として独立しづらいクラスター社会なのかもしれません。

スマホ歩きは人間的ではない

人々がインターネットを利用するようになってから、すでに三〇年近くたちます。当初はパソコンでしか接続できなかったネットを、ケータイでも利用するようになりました。そのころになるとカフェやホテルなどにノートパソコンを持参してネットを利用するという人も出てきた。オフィスや家庭に限定されていたネットへのアクセスが、モバイルでできるようになりました。

検索、メールの送受信、ブログやニュースを読む、音楽を聴く、動画を観《み》る、ゲームで遊ぶといったことをみんながやるようになり、人々の日常生活にはネットが欠かせないものになったわけです。

さらにスマホが広く行きわたるようになると、ネットと人との関わり方が新たな段階を迎えました。その変化があまりに急だったためか、私たちはそれを冷静に受け止めて、適切に対処することができていません。

ある日の午後のことです。私は私鉄の駅の改札で人と待ち合わせをしました。そのときちょうど高校の下校時間にあたっていたらしく、同じ制服の生徒たちがのんびりとした足どりで、改札に向かってきました。

何気なく目をやっていると、ほとんどすべての生徒たちがスマホに目を落としながら歩いているのです。手ぶらでまっすぐに前を向いて歩いている子は例外というくらい少なく、みんな手の平に目を落としながら、器用に改札を通り抜け階段を下りていきます。ＬＩＮＥ？　ゲーム？　それともネット配信の音楽でも選んでいるのでしょうか？　その画一化されたようすは、私にはひどく奇妙なものにうつりました。

もし昭和の時代の人間がこの光景を見たら、どんな印象を持つでしょうか。これが日本の近未来だと知ったらどう思うでしょう。いったい何を見ているのか、それほど心を引かれるものが手の平の上の板切れにあるのか？　と不思議がるはずです。

以前、歩きながら新聞を読んだりコミック本に目を落とす人など、ごく稀《まれ》でした。ところが今では、高校生ばかりか大人まで、そんな危なっかしい歩行を毎日行っています。

これはやはり何かが変わったのです。人間は歩いているとき、周囲の状況に目を配り、頭の中ではさまざまな思いや考えをめぐらす。二足歩行を始めた人類はそうやって暮らしてきました。歩きながら手元の何かに視線を奪われつづけるということはなかったはずです。スマホが普及して、それが当たり前になってしまった。私たちはその光景を見慣れてしまったから、当たり前に感じますが、やはりそれはとてもおかしな、非人類的姿です。

紙に固定された文字に興味はない子どもたち

一三年に発表されたある中学校での調査です。当時はスマホとケータイを使う子が混在していましたが、一日の平均利用時間はスマホ派はケータイ派の二倍、三時間でした。あきらかにケータイよりスマホのほうが子どもたちには魅力的だったのです。

そして一九年、高校生におけるスマホの一日あたりの平均利用時間は四時間あまり（内閣府）です。睡眠時間と学校にいる時間をそれぞれ八時間とすると、それ以外の時間の半分をスマホに割いているわけですから、通学時も食事の時もスマホを手にして画面に目を落としているというのは当然です。コロナ禍で学校の休みが続いた期間は、スマホ利用時間がどれだけ伸びたでしょうか。「利用」という言葉は、今の若者には違和感があるかもしれません。スマホは利用する「道具」ではなく、自分の脳や口や心の延長であって、身体そのものと感じているかもしれません。

物心ついたときからスマホやタブレットで遊んでいたという子どもが、今では中学生、高校生の大半を占めます。彼らは新聞はもちろん、テレビにすらあまり興味を示しません。ひたすらスマホばかりいじっています。

彼らの共通項は紙に書かれた文字はまず読まないということ。画面上を動く文字か、タップして動かせる文字以外には興味を示さないのです。タップセンス機能のない、キーボードでしか操れないパソコンのような情報機器は、すでに古くさくかっこ悪いと見ている。電卓が当たり前になった時代にそろばんを見るような感じでしょうか。

スウェーデンの精神科医、アンデシュ・ハンセン著『スマホ脳』によると、アップルをつくったS・ジョブズは一〇代のわが子にiPadを使う時間を厳しく制限していたそうです。また、マイクロソフトの創始者のビル・ゲイツは子どもが一四歳になるまでスマホを持たせなかったということです。彼らは子どもにとってのスマホやタブレットの「害」をよく理解していたということでしょう。

マスク警察もマスク攻撃も根っこは似ている

大人も子どももスマホの利用時間が増加しています。量の増大は質の変化を生みだします。質の変化とは人間関係の変化のことです。

米ロサンゼルスのあるレストランでは「人々の結びつきを取り戻してほしい」と、スマホを店に預けて食事をすれば五パーセントの割引を行うというサービスを始めたそうです(CNN)。オランダのあるビールメーカーの直営バーでは「目の前の相手とのリアルなコミュニケーション」のために、スマホを預けるとビール一杯をタダに。こんな話題がネット上に流れたりするのも、スマホが人と人とのリアルな関係を希薄にしているからに違いありません。

リアルな人間関係が希薄になるということをもう少しかみ砕いていうと、名前を知っている他者と直接会話したり、しっかりと対話する時間が少なくなるということです。私はかつて『暴走老人！』という本を書きましたが、スーパーで大声を張り上げて店員に暴力をふるったりする老人の大半は、日頃の会話時間や他者との対話が少ない、人間関係が希薄化した人が多かったという事実がありました。

コロナ禍では他者との出会いやふれあいがさらに少なくなり、人間関係が薄くなりがちです。SNSでその溝を埋めることはむずかしい。街中でマスクをしていない人を理由も聞かず、いきなり怒鳴りつけたり、逆に、マスクをしている人を敵視して「コロナはフェイクだ」と攻撃するような人が現れたのも、実はリアルな人間関係の欠如が影響しています。そこにいる他者を一人の人物としてではなく、ネットがつくりあげたイメージ、あるいは記号的な存在として見てしまう。若者を見れば「公園で夜遅くまで酒を片手に大声で騒ぐ者」、マスクをして足早にドラッグストアに入っていく人を見れば「某国の陰謀に気づかず騙《だま》されている無知な輩《やから》」という具合です。

スマホでネット空間を泳いでいるうちに他者意識が消えて、きわめて狭小《きょうしょう》な観念だけで道行く実在の人物を判断してしまう。ことにみんなの顔がマスクで覆われているこの時代に他者への想像力を発揮することが、いっそうむずかしくなっているのかもしれません。

散歩はスマホ断食になる

いったいどうすればいいのか。ひとまず私はスマホ断食で余裕ができた時間を散歩にあてました。ついパソコンやスマホに手が伸びる。そこをがまんして手ぶらで公園まで歩くのです。

英国ではパブリック・フットパスがあります。歩くための道、いわゆる散歩専用の小径《こみち》のことで、郊外では何十キロにもわたって整備されています。私有地を抜けたりする場所もありますが、そこを誰でも自由に散歩できるのです。これは英国社会が、散歩を人間のもつ一つの権利として認めている証《あか》しです。

なぜ近代社会の先駆けとなったかの地で、散歩が生活スタイルの一つとして確立されたのでしょうか。それは散歩が個人に立ちもどるための行為として認められているからだ、と私は推測します。近代社会は人が個として独立した人格をもち、人生を自由意志でまっとうできることを理想としています。散歩とはまさにそんな人間のあり方を体現する行為なのです。散歩中は誰に気兼ねすることもありません。自由に道を選び、止まるのも進むのもまた自由です。そのとき他者が思考に介入してくることはない。つぎつぎにわき起こってくる想念を阻《はば》むものもない。そこでは自由な思考が可能なのです。しかも、たった一人だけの!

哲学者のカントは定時に決まったルートを散歩することで有名でした。頭を空っぽにして歩いていたわけではありません。むしろさまざまな考えや想《おも》いが頭を駆けめぐっていたに違いない。座禅を組んだことのある人はよく分かると思いますが、人は外部からの情報や刺激が減るほど、さまざまな考えが浮かび、それを消し去ることができない。だからこそただ座ること、座禅が修行になるのです。人間が簡単に頭を空っぽにできるのならば、「禅」など生まれなかったはずです。

散歩とは「動的な座禅」と考えればいい。個人がひたすら自分に沈潜できるきわめて貴重な時間であり、ほんらい誰にもそれを阻む権利はない。だから一人で歩くという時間は、たとえそれが通勤通学のわずかな時であっても、その人にとって大事な個の時間です。誰にも邪魔されたくない時間なのです。

できれば散歩の途中にベンチでもあれば、そこに座ってしばらく道行く人を眺めてみましょう。そしてその人たちの性格や家族や仕事を想像してみるのです。この想像には意味があります。デジタル情報化された他者ではない、目の前にいる血の通った生きた他者を感じることができます。

それはスマホ偏重で衰弱し、コロナ禍で消え入りそうになったリアルな人間関係をもう一度つくるためのリハビリになるでしょう。

ちょっと、ぼんやりしよう

現代の私たちは一人だけの独立した時間を失いつつあります。職場を出て帰宅までの道すがら、カフェに入ってコーヒーを飲む。ほんのひととき、ぼんやりとして気持ちを癒《いや》すということが昔はよくありました。しかし今はこぞってすぐさまスマホを開き、誰かと、どこかとつながろうとするか、ゲームというプログラムに身をまかせ、個の思考を奪われる。また、一人でご飯を食べるのを一人食いと称して恥ずかしがるなど、つねに人の輪の中にいようとして、孤立を恐れている。

一人でいることや孤独を必要以上に恐れ軽蔑《けいべつ》する傾向は、スマホ一辺倒の社会が生みだした「悪」だと、私は思います。人はますます一人でいること、一人で考えること、そして自力の思考から遠ざかっていく。人の輪の中で承認されることを常に求めつづけるスマホ社会が、自立的な思考を避《さ》けて孤独を恐れる人間を、いま大量に生みだそうとしているかのように私には見えます。

かつてあるネイティブ・カナディアンの部族は、「夢を見る時間」を暮らしの中にきちんと組み入れていたといいます。雪の中に背中を丸めて入り、毛布で体をくるみながら夜空を見あげ一人夢想する。そのとき、ほかの者は決してそれを妨げてはならない。そういう不文律があったといいます。孤独の時間が人生を豊かにする。こんな考え方はスマホ社会ではありえません。

一人ぽつねんと芝生に腰を下ろし、ぼんやりと長い時間空を眺めている子どもがいたとします。もし見かけたなら、声をかけて中断させてはいけません。大人は遠くで陰ながら見守るしかないのです。その子は一人だけの思考の中で、みずからの想像力を鍛え上げて、この過酷な世界に立ち向かおうとしているのかもしれないのですから。想像力というものは自分の力で獲得するしかないものです。もしその子がかつての私だったら、そっとしておいてほしいと望んだでしょう。

しかしいま、孤独と格闘しようなどという子はほとんどいないでしょう。手にはスマホがあり、それは「魔法の道具」で、考える前にただちに答えを手に入れて満足してしまう。いつでも誰とでもつながることができるという便利さが、自分の想像力や思考力を奪いさるという落とし穴に気づいている人が少ないのは残念です。

かつてデジタル・デトックスという言葉をよく耳にしました。いまこそ溜まったデジタル・ストレスの毒抜きの時です。

スマホ断食は自分の決断で可能です。金曜日の夕食時から月曜日の朝まで、まずは三日間、試してみてください。それが無理なら、半日だけでもスマホから離れてみてください。

この本はネットが普及し、みんながスマホを持つようになって人々の間で起こった変化、新たな問題について書いたものです。その一〇章をスマホから離れて読んでいただければ幸いです。

第一章

私の思い出は
スマホには収まらない

モノにこだわらない、シンプルな暮らし方が
若い世代を中心に広まりつつあります。
これはどうやら世界的な傾向らしいのです。
でも、モノを捨てても
幸福にならない人は、きっといます。
それはモノを捨てることで生まれた
心のすきまを、代わりにスマホで埋めようと
しているからではないでしょうか。

スマホはスーパー・インフラだ

スマホは人が生きていくのに必要不可欠な「インフラ」になろうとしています。ことにコロナ禍が、よりいっそうその流れを加速させました。

インフラというと、まず水道や電気や鉄道が頭に浮かびます。しかしスマホは、これらの社会を支えるインフラとは根本的に異なる存在です。スマホは個人の意識、考え方といった内面にも大きく影響を与えます。その意味でスマホはスーパー・インフラとも呼べるものです。

一例をある映画を通して見てみましょう。

数年前、『365日のシンプルライフ』というフィンランドのドキュメンタリー映画が話題になりました。ペトリ・ルーッカイネンという青年が、自分自身の暮らしぶりを撮った作品です。

……ある真夜中、ルーッカイネンは素っ裸《すっぱだか》で家具一つないがらんとした部屋に呆然《ぼうぜん》とたたずんでいます。空虚な空間が男の寂しげな心を証明しているかのようです。つぎの瞬間、彼は裸のまま部屋を飛びだすと、雪の降り積もる街頭を一目散に走り出す。目指すはレンタル倉庫。まもなく到着すると、シャッターを開けて一着のコートを取りだし、凍える身にまとう。

ルーッカイネンはすべての家財道具を残さず倉庫に収めていました。下着も何もかもです。彼は倉庫から一日に一点だけ必要な持ち物をとりだし、一年間暮らしていこうというのです。冒頭のシーンはその最初の夜のことでした。こんな奇妙な生活を始めようと思ったのは、たくさんのモノに囲まれていながら、どこか満たされない日々に疑問をもったからです。

彼は「モノは重荷だ」といいます。また仲のよい祖母も「人生はモノでできてはいない」と、孫の過激な試みに共感を示します。

しかし、モノがないという暮らしは不便きわまりない。やってみると予想しなかったような障害も出てきます。ルーッカイネンは弟の食料の差し入れでなんとか食欲だけ満たすと、すっからかんの部屋でコートにくるまり床にころがったまま眠りにつきます。

そのとき見る夢がなんと「ハンガー」。コートやジャケットを吊《つる》すあの道具。それが料理や異性や車よりも先に夢に現れるというのがとても面白い。このエピソードは、ふだん意識しないが、私たちの生活は多くの雑多なモノで構成され、その大半がどこかで役に立っているということを教えてくれます。

こうして一年後、彼の部屋は以前とは見違えるほど整頓されたモノが少ない空間に変わりました。オチは恋人ができて共同生活を始めるというところ。モノを排除し希薄になった空間を新しい人との絆で埋めるのです。

アメリカの三〇平米という極小住宅

ドキュメンタリーといえばもう一つ、興味深いアメリカのテレビ番組があります。『タイニー・ハウス・ネーション』です。サブタイトルが——大きなアメリカの極端に小さな家。

こちらは住まいという空間そのものを小さくして、シンプルライフを実践する人々を紹介した番組です。住まいの平均的な広さが二五〇から三〇〇平米というアメリカで、およそ三〇平米以下という極小住宅（タイニー・ハウス）の住人たちを紹介するユニークな企画です。

何もかもが大きく、しかもふんだんにあるということを理想とするアメリカにおいて、逆に極小の住まいで家財道具を最小限に抑えたシンプルな暮らし方が、静かに根を張ろうとしているといいます。

空間が狭いと、当然モノもそれに見合うだけ減らさなければ、生活スペースそのものがなくなります。このタイニー・ハウスの住人もモノを捨てたルーッカイネンも、目指すところは同じ。どちらもモノに囲まれ消費活動に忙しいだけの生活に背を向けて、簡素な暮らしを試行している。

日本ではどうでしょうか。かつて日本人にも、モノが少ない質素な暮らし方を良いとする考え方がありました。鎌倉時代初期、『方丈記』の作者、鴨長明《かものちょうめい》はわずか三メートル四方の方丈庵《ほうじょうあん》に住み執筆にいそしみました。方丈庵はまさにタイニー・ハウスです。また、小さな茶室や庭に大きな世界を思い描く先人たちもいました。狭く簡素な空間を好むという傾向は、私たちのどこかに根づいている志向性かもしれません。

二〇一五年五月、新しい生活スタイルを物語る画期的な本が出ました。『必要十分生活』（たっく著）です。サブタイトルは「少ないモノで気分爽快に生きるコツ」というもの。発売から五カ月足らずで一〇刷りと版を重ねて、出版不況の中で大健闘しました。内容はモノを捨てて快適に暮らすノウハウ。不要なモノでいっぱいの乱雑な机は「少しずつあなたの元気を奪っていきます」という記述には、散らかった机にうんざりすることもある私もドキッとさせられます。

さて、これらの映画や本がスマホとどう関係するの？　と疑問に思うかもしれません。それが大いに関係があるのです。今少し読みすすめてください。

スマホとモノ離れは表裏一体

ふり返ってみれば、二〇〇〇年代に入ってから「モノ捨て本（私の勝手なネーミングです）」のベストセラーが続きました。

最初は二〇〇〇年に発売された辰巳《たつみ》渚《なぎさ》さんの『「捨てる！」技術』です。

実はそれ以前からすでに「日本の家庭はモノが多すぎる」ということは広く認識されていました。つぎつぎに登場する家電や家庭用品に収納スペースが追いつかなかったのです。

しかし二〇一〇年に「断捨離」が流行語になり、流れは変わります。そのころから、不要な家財道具、日用品を捨てる、いらないモノは買わないという暮らし方を推奨する書籍が一大ジャンルとなりました。漫画家、中崎タツヤさんが書いた『もたない男』もその一つ。これはたとえば、買ったばかりの鉛筆を、最初にわざわざ極限まで短く削って使い始めるというような、モノをできるだけ持たない、減らすことに偏執狂的《へんしつきょう》にこだわる過激なモノ捨て本でした。

そのなかで世界的に注目されたのが近藤麻理恵《こんどうまりえ》さんの『人生がときめく片づけの魔法』です。国内でベストセラーになったばかりか、世界三〇カ国以上で発行され、発行部数は海外だけで二〇〇万部をゆうに超えているといいます。著者は二〇一五年、アメリカの『TIME（タイム）』誌の「世界でもっとも影響力のある一〇〇人」にも選ばれ話題に。

近藤さんは中学三年生の時に読んだ『「捨てる!」技術』に「開眼され」て、同書を書き始めたといいます。二〇一四年に発売された『フランス人は10着しか服を持たない』というジェニファー・L・スコットさんの翻訳本もヒットしました。

これらの「モノ捨て本」は、たんなる片づけ指南ではなく、新しい人生観や生き方を提示しているのが特徴です。『必要十分生活』が発売された一カ月後に、『ぼくたちに、もうモノは必要ない。』という、そのものズバリ、モノ離れと新しい生き方を提案する本が出ました。その中の一節はつぎのようなものです。

「ぼくはモノをたくさん捨てた。

そして今、毎日幸せを噛《か》みしめながら、生きられるようになった」

著者の佐々木典士《のりお》さんは、モノにこだわらないシンプルな生き方を理想化しています。その点は他の類書と変わりませんが、彼自身が浸っていたというマテリアリズム＝物質主義に対する反省を明確に打ち出しているのが目を引きます。

この本の特徴はこうしたシンプルな暮らしを志向する人々を、ミニマリスト（最小限主義者）というグループにカテゴライズ（分類化）したことです。前に紹介したテレビ番組の『タイニー・ハウス・ネーション』がネーション＝「族《ぞく》」として極小住宅派をカテゴライズしたのと似ています。

それまでのモノ捨て本が、プライベートな空間と個人についてのアプローチだったのに対して、佐々木さんはミニマリストを同じ生活意識を共有する「運動体」のようなものとしてとらえています。同書の口絵には何人かのミニマリストの生活空間が紹介されていますが、彼らはネットなどを通して交流があるといいます。

同書によれば、アップルの共同創業者であり、その亡《な》き後もいまだ多くの信奉者を持つスティーブ・ジョブズもまた、ミニマリストだったということです。ジョブズはスマホの生みの親というべき人です。その彼が富豪とはかけ離れた簡素な暮らしを営み、ジーンズを好み、禅に傾倒していたことはよく知られています。

実はスマホとモノ離れは表裏一体なのです。それをジョブスの暮らしぶりが証明しています。

モノへの関心を失いつつある世代

それにしてもなぜ、ミニマリストはモノがない無機質な空間を理想とするのでしょう。

若い世代ではバブル期のようにモノを買いつづける、遊びつづけるという享楽的な消費活動は影をひそめています。高級外国車や高価なブランド品には目もくれません。今から一五年近く前、私は機会があるごとに若い人たちに尋ねてみたのですが、高級ブランド志向は姿を消して、最大の関心事は貯蓄だと答える者が少なくないのに驚かされました。そのころからモノ離れは始まっていたのかもしれません。

その背景には物質的に豊かな暮らしを求めても、実現はむずかしいという若い世代の現実があるでしょう。この経済状況がシンプルライフを目指す理由に違いないのですが、はたしてそれだけで若者のモノ離れは説明できるでしょうか？　私はモノに満たされる生き方そのものに魅力を感じない世代が出てきているのではないかと考えています。それを人生観の変化といってもいいかもしれません。彼らはモノではない何かに、最大の関心とエネルギーを注いでいるように見えます。

現在、日本ではかつてなく単身世帯が増えています。その流れは、高齢者世帯だけではなく、若者たちにも広がっています。この背景には理想の家族像が崩れているということがあります。

広いリビングルームを中心にしたマイホームに芝生の庭、夫婦に子どもふたりに犬一匹という暮らし、ガレージには車が一台、これが中流家庭のモデルイメージでした。現在では、こうした将来像を当たり前のように描く若者はもはやいないといっていいでしょう。

モノ捨て本の多くには子育て家族の気配が感じられません。結婚して子どもが生まれる。家族が増えるということは、それに見合ったスペースとモノが増えていくということです。よほど強固な生活意識が共有されなければ「捨てる」「買わない」を実行しながら家族が暮らしていくことはむずかしいでしょう。モノが少ない簡素でミニマムな暮らしと、出生率の低下、少子化は深く関連しているのです。

冒頭に紹介した映画のラストは、恋人との同居が決まったルーッカイネンが、それまで不要としていた多くのモノを二人で倉庫から取りだす場面でした。家族を形成するということは、モノが増えるということです。

モノが発するメッセージにうんざりする

ではこのモノ離れとスマホはどう関係するのでしょうか。

佐々木典士さんのこの言葉から、その関係をたどっていきましょう。

「モノだからといって、ただ黙って置かれているわけではない。置かれたモノはメッセージを発している」（『ぼくたちに、もうモノは必要ない。』）

この感覚は私もよく分かります。たとえば外出前に手にしたマフラー。それがプレゼントだったならば、送り主の思い出などの記憶を発信しているはずです。ブランド品ならば、それにふさわしいイメージがまとわりついている。どんなモノもいくばくかのメッセージを発しています。

衣服には時とともに更新されていく流行のデザインがあります。ファッションに敏感な人だと、年々変わるモードと自分のコートのスタイルをつねに照らし合わせるでしょう。

ものいわぬモノもメッセージを発していて、常に人を新しい消費へとかりたてます。かつて「メディアはメッセージだ」といったメディア論者、マーシャル・マクルーハンにならえば「現代のモノはメッセージだ」ということになります。

家の中にはモノが発するうんざりするほどのメッセージがあふれているはずです。モノを捨ててすっきりするというのは、このメッセージを切り捨てるということ。つまりモノ捨ては、メッセージの整理整頓なのです。

「ミニマリストになると、世の中のかなりのメッセージから自由になれる。あの手この手の工夫をしてくる、やかましい広告の言葉はもはや自分には関係がない。メディアで紹介される大金持ちにも、セレブにも憧れることはない」(『ぼくたちに、もうモノは必要ない。』)

メッセージを情報という言葉に置き換えると、さらに理解しやすいでしょう。

高機能化された炊飯ジャーには液晶ディスプレーに、さまざまな文字と数字が並んでいます。かまどで煮炊きしていた時代ならば、おいしいご飯を炊くことは、肉体や五感を駆使した技術が必要な身体的な行為だったけれど、今ではボタンを押してデジタル情報を指示通りに「処理する作業」になりました。

かつてのように火をおこし風呂《ふろ》の湯を沸かしたり、重い掃除機を引きずりながら部屋を回ることもない。代わってバスルームのパネルをセットしたり、リモコンでエアコンを操作したり、自走するロボット掃除機に任せる。家庭内で身体を使う仕事はデジタル情報処理に取って代わりつつあります。家庭生活が身体からはなれて一見、便利になったように感じますが、その実、情報処理と管理に追いまくられている。「オフロガワキマシタ」という音声のメッセージ情報に促されバスルームに急ぐ。メッセージ＝情報に、私たちの日常生活がコントロールされているということもできます。

本棚の本が「早く読め」と私を叱りつける

メッセージを発するモノというと本を忘れるわけにはいきません。私は本棚に目を向けると、未読の本たちが「早く読んで！」と叫んでいるような気になることがあります。本はそこにあるだけで、メッセージを発信し続ける。本のページに記された言葉が、外に向かって飛びだしてきそうです。そう思うと私は、読めない焦《あせ》りを覚えます。

これはストレスです。しかしこのストレスを解決する方法があります。それが「自炊」です。自炊とは蔵書をページごとに分解してスキャンし、電子書籍にして保存することです。こうすれば一〇〇〇冊が収まった本棚もUSBメモリーに収まってしまう。これで本の山から解放されます。再び紙の本を買いそろえていくことはもうない。未読本を目にするたびにストレスを感じることもないわけです。

しかし、私はこうも考えます。本をデジタル化することが本当にいいことなのか？　もしかすると、未読本の山を目《ま》の当《あ》たりにして感じるストレス、「読まなければいけないのになあ」という焦りは悪いものではない。それをなくしてはダメだ、とも思うのです。

紙の本が電子書籍というデジタル・データに入れ替わったとき、人は画面の背後に隠れて見えない他のページを意識することはむずかしいでしょう。もしかすると、購入したばかりの未読の電子書籍も、その存在をすぐに忘れてしまうかもしれません。モノではないデジタル情報化した本は、アクセスしない限り見えないままです。

先日、近所を歩いていると、玄関先にゴミとして出された写真のアルバムを、引き取り業者がトラックに放りこんでいるところに出くわしました。分厚いアルバムは、なんと一〇〇冊近くはあったでしょうか。その量に驚かされました。ずっしりとしたモノとしての迫力は、家族史の重みそのものです。しかしこれからはそんな膨大な家族のアルバムはなくなってしまうでしょう。デジタル・データになって、スマホの中にしまいこまれてしまうからです。

モノの消費ではなくスマホ中心の生活

人間が処理できる情報には量的な限界があります。私たちが暮らしの中で受けとる情報量はその限界値をとっくに超えています。しかし情報をデジタル化すればとりあえずストックして目の前からモノを消すことができる。記念写真がもたらす記憶、思い出もデジタル化すればいつでも取り出せます。本も雑誌も新聞も音楽もストックして好きな時に楽しめる。古くなったが未《ま》だ捨てがたいスーツもスマホで撮影すれば、それにまつわる思い出までいっしょにストックできるでしょう。この便利さを存分に利用するのがミニマリストです。

「ぼくらはスマホで何でもできる」(『ぼくたちに、もうモノは必要ない。』)ミニマリストとはモノに占有された暮らしからの離脱者であり、スマホを信奉する情報主義者でもあるのです。これがミニマリストの、あるいは若いスマホ世代の特徴です。

冒頭に紹介したルーッカイネンは、ノートパソコンだけは手放さなかった。まるでそれは別扱いの、モノではない絶対的必需品であるかのように。

ミニマリスト、シンプルライフ志向の人々は、モノにこだわることをやめました。彼らはモノが発信するメッセージ情報が、人の処理能力からはみだしてしまったことに気づいた最初の人々だといえます。そこで彼らはモノが発するメッセージを捨てることにしました。つまりモノそのものを捨てたのです。そして、スマホやパソコンを通して利用する「ネット」を暮らしの中心にすえたのでした。

彼らは「ミレニアル」（千年紀の）世代に属しています。ミレニアル世代とは一九八〇年代後半以降に生まれた人々です。この世代は、前の世代とは異なる独特な生活感覚や人生観をもっているとみられています。その特徴は車やモノの消費に関心が薄く、小さいころからパソコンやスマートフォンでネットに親しんできたというものです。つまりミニマリストとは、ミレニアル世代の中でも、もっとも「先端」をいく人々ということもできます。

さらに最近ではZ世代と呼ばれる人々も育っています。こちらは一九九〇年代後半以降に生まれた人たちで、ミレニアル世代よりさらにスマホへの依存度が高い生活をしているといいます。彼らのほとんどは、パソコンでも携帯でもなく、最初からスマホでネットにアクセスし始めた人たちで、まさにスマホネイティブともいえる人々です。

若い世代になるほどその生活はスマホに依存的になっている。現代人のモノ離れは、デジタルネットワークの拡張と、スマホの普及《ふきゅう》によって加速しているといえます。ことに二〇二〇年から続くコロナ禍では、Z世代に限らず、自宅で過ごすことが多くなり、仕事も勉強も趣味もネット上で行うことが増えました。スマホへの依存度は増しています。

スマホは人生そのもの

この章の冒頭でスマホが人々の生活スタイルや意識を変えると書きました。その理由をここでまとめてみます。

モノからコトへの転換というフレーズをしばしば耳にした時代がありました。今から三〇年ほど前からでしょうか。これは高度成長期の人々のようにモノを買いそろえることでは満足感をえられず、コト＝体験の楽しさを通して生活の満足感を覚えるように消費の志向が変わったということでした。海外旅行や大規模イベントがもてはやされ、高級レストランで食事するグルメブームもありました。これらはコトの消費です。モノはもう充分。

余暇は新しい体験を楽しむというわけです。では現在はどうでしょう。二一世紀になって、インターネットが社会的なインフラとなり、日本で二〇〇八年に登場したスマホが、たちまち人々の必需品となりました。モノからコトへの時代はすでに過去のことです。今はコトからスマホでやりとりする情報の時代なのです。コトから情報への転換といっていいかもしれません。

若い世代はこの変化に敏感で新しい生活指向を実践しています。かつての若い男性はたいていマイカーに憧れましたが、いまクルマを追いかけている若者は少数派です。海外旅行や留学指向も激減しました。これを内向き指向だと批判されることもありました。しかし彼らの関心事はモノでもコトでもなくまず情報なのです。もっとも時間とエネルギーをさいているのがスマホの操作です。スマホの中にはＳＮＳやメールを通した人間関係、ゲームや音楽、動画という娯楽、画像や動画の思い出、そしてもちろん仕事や学習など、いっぱい詰まっています。

私の知り合いに「スマホは人生そのもの」といった人がいました。これは誇張ではなく、スマホと人との関係の本質を突いたひと言です。

スマホがモノでもコトでもない情報を、私たちの関心の中心にすえることに成功しました。しかしそれが、人間関係や個人の内面にも新しいやっかいな問題を引き起こしています。だから私は、そこから逃れるためにいっときスマホを休む、スマホ断食を勧めているわけです。

第二章

スマホが
もう一人の自分を
勝手につくる

私が私を知るもっともいい方法は、
どこかにまとめられている私を
つきとめることです。

しかし、それがどこにあるか
分からないのです。

誰が教えてくれるのでしょうか？

リアルな私は重すぎる

スマホはとても便利な情報ツールです。「スマホのない暮らしなど考えられない」というのが、一般的な生活感覚でしょう。スマホはツール＝道具という言葉では、もはや言い表せないほど大切なものといえるかもしれません。それは私たちの心身に密着したもので、まるで身体の一部分であり、「情報」を操る臓器となってしまったかのようです。

長文のメッセージを両手の親指でまたたく間に仕上げてしまう若者などを目にすると、私はその指さばきに驚嘆します。そんなスマホのヘビーユーザーである大学生から、興味深いセリフを聞きました。

二〇二〇年、コロナ禍のせいで彼女は、まったくといっていいほど大学に通えませんでした。その間、講義もレポートの提出もネットですませたということです。友人とのコミュニケーションもほとんどはネットになりました。学習塾のアルバイトもなくなり、余暇時間はスマホに浸っていたといいます。二一年になると、大学が再開し、コロナ禍以前の学生生活がもどってきましたが、彼女の気分はすんなりとは元に戻りませんでした。

彼女の心境をひと言で言い表すと「リアルな私は重い！」だそうです。

コロナ禍では、講義への出席も友人との交際もスマホの中の「私」が代行してくれました。しかし、大学が再開してアルバイトも始まると、生身の私の出番が圧倒的に増える。それが「面倒で重い」というのです。スマホの中の「私」は、自宅で自由にくつろぎながら友人と交わり、満員電車に揺られて大学に通う必要もない。しかしリアルな私は何をするにも相応の時間とエネルギーをようする。さらに他者へのリアルな対応は、スマホ上とは違って、ひどく気疲れするといいます。

コロナ禍で「他者とのリアルな交わりが失われると人は孤独感を覚える」。これが普通の感覚かと思っていたら、反対に「リアルは重く面倒」といわれて、私は驚いたわけです。

スマホの能力が向上するほど、人はスマホの虜《とりこ》になっていくようです。これからも私たちはますますスマホの中の「私」に自己をゆだねていくことになるのでしょうか。はたしてそれでいいのか？　疑問が残ります。

私という存在が「リアルな私」から「デジタルな私」へと入れ替わっていく。そういう時代に人はどうやって人生を送っていくのか不安です。

そもそもスマホの中につくりあげられるもう一つの私、デジタルな私とはどんな存在なのでしょうか？

デジタルな私がだれかに見られる

都内のあるフィットネスクラブでのことです。私は受付カウンターで会員証を提示しました。すると係の女性はなんのためらいもなく、私に女性用のロッカーキーを渡しました。そこに通って三年ほどたちますが、女性用のキーを渡されるのはこれで四度目です。きっと彼女は、パソコン画面に映しだされた「智美《ともみ》」という私の名前を見て、勝手に女性だと判断したのでしょう。そのとき私は、自分が透明人間になったような不思議な気分になります。彼女は笑顔で「こんにちは」と私にたしかに挨拶をし、その私からじかに会員証を受けとっている。私の風体はどう見ても中年男なのに、どうしてこんなことが起こるのか。

受付カウンターの彼女にとって重要なのは、画面上に表示されるデジタル・データであって、生身の私ではないということなのでしょう。血の通った目の前の人間は意識から消されて、画面上のデータ処理に意識が集中したのです。これは悪気のないささいなミスですが、ネット化した社会において人の存在が「データ化」しつつあるということを象徴しているようにも思えます。

こうして私たちは、目の前にいる生身の他者が目に入らず、ネット上のデータとしての他者を見るようになっていくのでしょうか。

その個人データが他者に利用されたり、また売り買いの対象となる事件が、あとを絶ちません。最初に大規模なデータ流出事件が起こったのは、二〇一四年七月でした。ベネッセホールディングスの顧客情報が大量流出したのです。その規模は二〇〇〇万件を超えます。なかにはベネッセの通信教育である進研ゼミを利用していた子どもたちの情報も多く含まれていました。

流出した情報は転売を重ねられて、数百社もの企業に渡ったといわれました。デジタル情報はコピーが簡単ですから、一度外に出ると、それをすべて回収したり消去したりすることは不可能です。よってこの情報は長く利用されることになります。とくに子どもの情報は一〇年以上は使えるといわれていますから、長期間にわたってさまざまなビジネスの手がかりとして「活用」されるばかりか、住所などが特定されている場合は犯罪の対象となることさえ心配しなければなりません。思わぬかたちで不安を抱えこんでしまった親御さんが全国にたくさんいたことでしょう。

こんな大規模な事件にもかかわらず、犯人はたった一人のシステムエンジニアでした。

もしこれが三〇年前だと、犯人は大型トラックを用意して、膨大な量の紙の束を盗むしかなかったでしょう。そもそも、これだけの数の顧客情報を収集し書類で管理することは、並の民間企業ではむずかしかったかもしれません。そんな大量の記録が、今では手の平にのる一台のスマートフォンに入ってしまうほど、いとも簡単に取り扱えるようになったのです。

その後も一九年一二月には、神奈川県庁からサーバーのハードディスクドライブ（HDD）が持ち出される事件がありました。また二一年にはLINEの個人情報が中国の委託企業で閲覧できるようになっていたことが大問題になりました。SNS上でデジタル化された「私」が、海外の見知らぬだれかによって見られる可能性があるという時代になったのです。

私がどこかに保管されている

情報のデータ化とネット化が、ほんらいは他人には漏れないはずの個人のプライバシーを露出させています。さらにこれからは、個人の内面に属するような情報すら流出してしまうということも起こりうる。こんなことをいうと、大げさに危険性をあおっている、と反発されるでしょうか。

たしかにデータ化、ネット化といっても、言葉や情報がすべてデータ化しネットに流れているわけではありません。たとえば私の仕事部屋を見回してみます。うんざりするほど溜まっていく本が所狭しと積まれています。資料や書類の束が棚から今にもこぼれ落ちそうなほど差しこまれていて、リサイクルゴミに出す新聞や雑誌も床に放置されている。すべて紙とインクのアナログ情報ばかりです。

ではデジタル情報はどこに？　ありました。電子書籍の端末、CD、DVD、そしてなにより二台のパソコン、スマホ、そればかりか冷蔵庫や洗濯機、エアコン、テレビに組み込まれたマイコンにもデジタル情報がつまっています。パソコン、テレビ、スマホなどはスイッチを入れると、たちまち無限大ともいえるデジタル情報とつながります。現在、世界に流通している情報のうち、紙とインクによるアナログ情報はわずか一パーセントにすぎないともいわれています。将来この数字は限りなくゼロに近づいていくでしょう。

こうしてあらためて自分の周囲を眺めると、本や新聞と違って、デジタル化された言葉や映像はスイッチを入れてアクセスしないかぎり「見えない」のだということに気づきます。実はここに落とし穴があります。ふだん隠れている膨大な量の情報で、私たちの暮らしは構成されている。そのなかに守られるべき個人情報もあるのですが、それらは目には見えない。私たちがうかがい知れないどこかに「保管」されているのです。

二〇一三年のことですが、自宅に一本の電話がかかってきました。利用しているクレジットカードの会社からです。「〇〇で家電製品など買い物をされましたか?」

突然のことでびっくりしました。私のカードが盗まれて他人に悪用されたようなのです。あわてて財布を調べてみると、該当のカードは無事に入っていました。ネット上でショッピングした際に誰かに盗み見られたか、もしくはレストランなどの支払いでスキミングによって情報を読みとられたのかもしれません。

それにしても不思議でした。なぜカード会社には、その不正使用が分かったのでしょうか。当たり前のことですが、会員によるカード使用の全データを会社は把握しています。それをさまざまな方法で分析して、不正使用を見抜けるように、その規則性を見つけだそうとしています。おそらく私のカード情報を盗んだ「犯人」は、不正な使用パターン通りにカードを使って、監視の網に引っかかったのでしょう。おかげで私は、買ってもいない腕時計や金のブレスレットの支払いに追われることもなくすみました。この一件は重要な個人情報が常に誰かに監視されていて、場合によっては簡単に漏れ出てしまうということを示しています。

ポイントカードの落とし穴

最近は、コンビニやレストランなどで支払いをするときに、当たり前のように「○○ポイントカードをお持ちですか？」ときかれます。カードを提示するのを忘れていたとき、「なんと親切なことか」と、ありがたい思いがしますが、店員さんは顧客サービスのためだけにやっているわけではありません。企業は私のデータが欲しいのです。ポイントカードはそれを引き出す重要な道具になっている。もしあなたがポイント集めに熱心で、いつも支払い時にポイントカードを差しだす人ならば、あなたの消費生活はデータ化されて、丸裸状態になっているかもしれません。

たとえば昼にコンビニで卵サンドと缶コーヒーを買い、夕食時には一人でレストランに入ってエビチャーハンと餃子《ぎょうざ》を食べ、その足でビデオショップに行ってＤＶＤを借り、コンビニに寄って週刊誌を買ったとします。そのたびに同じポイントカードを提示したとすると、あなたがどこで何をいつ買ったかがデータ化されたということになります。このデータを積み上げていくと、あなたの読書傾向、家族構成、さらに年収などを推測することも可能で、こうしたカード類を使うということは、自分のデータを渡しているということでもあるのです。

少し想像を巡らしてください。自分の情報はどれくらい他者に把握されているのか。銀行やカード会社には収入と支出が、ネットで本を買えば、その時々の関心事から思想傾向まで推測されるし、ドラッグストアで薬を買えば、あなたの病歴がデータ化されることになります。米国のあるディスカウントストアは、購入履歴データの分析から、妊娠した客の消費パターンを導き出しています。これによって顧客の出産日まで予測できるようになり、特定された妊婦向けに、さまざまな商品の売込みをしているということです。

米国で作られたテレビドキュメンタリー番組『あなたは利用条件に〝同意する〟?』では、高校生の娘に妊産婦向けのクーポンを送りつけてきた企業に抗議した父親のことが紹介されています。「まだ子どもの娘に妊娠をそそのかすのか」と父親は憤《いきどお》っているのですが、実際に娘は妊娠していたのです。会社は彼女の購入履歴で、身近にいるはずの父親よりも早く、妊娠に気づいていたというわけです。

個人情報をまとめてデジタルな私が誕生

このように個人情報が、国や企業に筒抜けになってしまう事態を危惧する意見は多くあります。これに対して「私には秘密にしなければならないようなやましいところはないから、オープンになってもかまわない」という声をよく耳にします。

しかしたとえば、あなたがウイルス性肝炎にかかったとします。それは職場などでは伏せておきたい情報かもしれない。あるいは転職しようという時に、借金があることは知られたくはないでしょう。やましいところはないという個人情報も、場合によってはあなたにとって不利な情報になります。

データ化されネットで行き交うようになった個人情報の根本的な問題点は、単にその一部が流出するということにとどまりません。ベネッセの情報流出事件は、ネット社会の落とし穴のほんの一部をかいま見せたにすぎないのです。ほんとうに怖いのは、さまざまな場所に分散されている個人情報が一つにまとめられることです。まとまると、たちまちあなた以上にあなたらしい「デジタルな私」ができあがります。

データというのは集合し塊《かたまり》をつくる性格を持っています。なぜならデータは大規模になるほど有効性を増し利益を生むからです。データを活用する側は、それが規模の大きなものであるほど価値があるということを知っていますから、できるかぎりかき集めようとします。いま「ビッグデータ」という言葉を頻繁に耳にしますが、データはビッグであるほど有効なのです。それは個人情報も同じです。だから企業やネットのサイトは、バラバラに存在する個人のデータをできるかぎり一つに統合しようとしています。

たとえばコンビニで弁当を買うとき、多くの店では鉄道会社が発行する乗車カードで支払いができます。電子マネーの機能が付加されているわけですが、さらにこれにクレジットカード機能も加わったものも出てきました。航空会社の会員カードも同じです。ケータイやスマホも一台にさまざまな機能をつめこんでいます。利用者からみると便利で得をするという感覚ですが、その裏で個人のさまざまなデータがまとめられつつあるわけです。

今後、もしこの統合が究極まで進み、あなた自身を物語る全データが一元化されたとすると、どうなるでしょうか。もう一人のデータ化された自分ができあがるわけです。しかもその「個人の完全データ化」とでもいうべき実態を、自分の目で直接見ることはできないところが怖いのです。実際、私もあなたも、自分のデータがどこにどれだけ収集されているのか、皆目わからないのですから。

米国では個人の完全データ化とその活用に向けて、状況がより早く進行しているようにみえます。これは九・一一テロの直後に愛国者法が成立したことが大きく影響しています。国家が個人メールや電話などをチェックすることができるようになり、それが拡大しドイツのメルケル首相さえも電話を盗聴されていたことが判明して国際問題となりました。こうしたどさくさの中で、グーグルなどはプライバシーポリシーを変更して、利用者の個人情報を第三者に提供することを可能にしました。

ビクター・マイヤー＝ショーンベルガー、ケネス・クキエ著『ビッグデータの正体』はこう述べています。

「アマゾンはショッピングの好み、グーグルはウェブサイト閲覧の癖を調べているし、ツイッターは我々の心の動きを手中に収めている。フェイスブックもこうした情報に加えて、交友関係まで押さえている」

ツイッターの「心の動き」とは、ツイートされる膨大なメッセージに心理学的な手法を加えて分析すること。フェイスブックの「交友関係」とは、ソーシャルグラフといわれる公開交友録のことで、こちらは世界の人口の一〇パーセントが網羅されています。今ではこれらの情報とSNSのメッセージなどから、第三者が個人を特定して住所を割りだしたりすることも不可能ではなくなりつつあります。

ネット時代はDNA情報から人間関係にいたる個人情報の全データ化を可能にしました。将来、人はことごとくデータ化され、常に誰かに「見られる」ことになるかもしれません。

一部の国では、大勢の群衆の中から特定の個人を監視カメラと顔認証システムによって選び出し、その個人情報をすべて呼び出すことが可能になっています。

ネット空間で見られつづける私

私たちは常にだれかに「見られる」ことに敏感に反応します。他者の視線にさらされることには今も昔も神経質です。

かつて連続ピストル射殺事件の犯人で死刑囚だった故・永山則夫《ながやまのりお》について、社会学者の見田宗介《みたむねすけ》さんは『まなざしの地獄』（河出書房新社）のなかで、永山はいつも他者の視線に怯《おび》える地獄のなかにいた、と記しました。

永山則夫連続ピストル射殺事件とは、一九六八年に東京、京都、函館《はこだて》、名古屋において発生したピストルによる殺人事件です。犯行時に一九歳であったことから、その死刑判決が議論を呼びましたが、永山はすでに死刑を執行されています。

彼は青森の寒村で極貧の生活を送り、幼いころには親に捨てられるという経験をしています。過酷な暮らしのなかで窃盗という前科をもつ彼は、そうした過去を知らない者たちが暮らす大都市・東京に逃れてきた。しかし過去は暴かれてしまいます。絶対に知られたくない過去を知られた彼は、行き場を失ったように犯行をくり返す。事件の背景には見られたくないものを見られてしまったという恐怖があったのです。

社会学者の大澤《おおさわ》真幸《まさち》さんは、永山との対比で、神戸《こうべ》連続児童殺傷事件（一九九七年）の少年Aが犯行声明で発した「透明な存在」という自己規定に着目しました。永山とは正反対の、だれからも「見られない」存在という少年Aの不安な心象風景を読みとりました。

私は「眼差《まなざ》しが引き金になる殺人」として、秋葉原無差別殺傷事件（二〇〇八年）を起こした加藤智大《ともひろ》をそこに加えたいと思います。加藤はネットの掲示板で誰からも相手にされなくなり、自暴自棄になって無差別の暴走殺人を犯しました。ネットで自分が無視されたことへの怒りが、犯行の動機だったのです。

この三人の殺人者に共通するのは、他者からの視線への執着です。どう「見られたのか」、あるいは「見られていないのか」ということが彼らにとって重大な問題だったのです。ただし加藤だけは、その他者の視線が仮想のデジタルなものだった。そこがまったく異なるわけです。

加藤の事件は「デジタルな私」と「リアルな私」との垣根が壊れてしまったことで起こりました。彼にとっては「デジタルな私」のほうが「リアルな私」より存在価値が高かった。ネットが現実を越えてしまったのです。

あれから一〇年以上が経過し、今では日常的な居場所が現実からスマホに移ってしまったかのような人が増えています。ゲーム依存の若者はその典型です。動画サイトに投稿するユーザーには、動画や音声でネットの中に存在する私こそが大切で、それこそが自分であるというまるで「アイデンティティがデジタル化」したような人もいる。

しかし多くの人は「自分はだいじょうぶ。ゲームに没頭することもないし、スマホを充分にコントロールして使っている」と、自信をもっているでしょう。私もその一人ですが、一抹の不安を感じています。

というのは、ネット世界のどこかにもう一人の「デジタル化した私」が存在していることを感じているからです。今そのデジタルな私が、リアルなこの私をどれくらい正確にコピーしているのかは分かりません。もしかすると、それは私よりも私を知っているほどに「成長」しているかもしれない。そう考えると、怖い思いがします。

永山則夫は他者のまなざしを逃れようと、大都市の人混みのなかに姿を隠そうとしました。しかし私たちは、無意識のうちにネット上で無防備に自分を露出しています。ＳＮＳではつい心の内を表に出してしまい本人の性格や気質を評価されたり、友人、家族などの人間関係までがあらわになりかねない。ネットの閲覧では個人の興味や関心事は筒抜けです。最近ではＤＮＡ情報ばかりか、個人の声、仕草の特徴までデータ化して、他者と区別する技術も進んでいます。指紋や手の平、顔の認証システムなどは国家管理に利用するところもあります。

みんながスマホを利用するようになって、人々の移動と滞留を日時で記録できるようになりました。そのデータを集めて、商業活動や行政に活用するばかりか、個人の仕事や趣味嗜好《しこう》、対人関係、たとえば恋人と別れたなどというプライバシーまでも推測できるようになります。

あなたのデータは日々、どこかに蓄積されてＡＩによって解析されている。それは日本国内とは限らない。世界の遠い国のどこかかもしれないわけです。

スマホが誕生してから約一〇年が過ぎた一八年に、ヨーロッパでは一般データ保護規制（GDRP）が運用されるようになりました。これはグーグルなどのIT企業が、ユーザーの情報を取得し広告活動へ利用することを規制しようというものです。米国の巨大IT企業から、ヨーロッパに暮らす個人の情報を保護するのが目的だといいます。さらに二一年、ヨーロッパはAIの包括的な規制にも乗り出しました。顔認証システム、企業の採用活動、個人の信用調査などに無制限にAIが利用されることを防ぐのが狙いだといいます。個人の自由やプライバシーに敏感なヨーロッパならではの法規制です。

コロナ禍でオンライン行政の遅れが指摘された日本では、ネット化の妨げになる個人情報保護法をあらためるという動きがありました。これがデータ化し増えつづける個人情報に対して具体的にどんな影響を与えるのか、今のところ見えてきませんが、プラットフォーマー（アップルなど）の対応にばらつきが出ています。私たちはIT企業ごとにことなる個人情報に対する姿勢を、逐一見極めていく必要がありそうです。

さてこうしたうちにも、デジタル化したもう一人の私は、すでにどこかで息づいているかもしれない。それを知らずにリアルな私は、きょうも朝を迎え、一日を始めるのです。

第三章

ネット社会の匿名性

いま言葉が匿名という衣《ころも》をかぶり、
いたるところで人を攻撃しています。

ネット上に流れる言葉は、どこか無神経で
攻撃的です。それを覆《おお》い隠そうとして、
愛想よく慇懃《いんぎん》にふるまうので、ひどく
扱いにくく、とらえどころがありません。

手書きすることには意味がある

今、ICT（情報通信技術）の活用で、学校ではタブレットやパソコンを授業に使うようになってきました。特にコロナ禍では、自宅でのオンライン授業なども行われたりして、紙の教科書離れが進んでいます。そうなると作文もタブレットに書きこみ、データのログ（記録）としてクラウド上のコンピュータにストックされることになります。スマホ世代の子どもたちは難なくタブレットの授業に習熟し、手書きの文章を知らないままSNSを通じて他者とつながっていくのでしょうか？

そんなデジタルな作文の授業で、児童はどのようにして言葉への責任＝文責を学ぶのか心配です。

私が通った小学校の作文では、原稿用紙にかならず自分の名前を記しました。それはごく当たり前のことでした。

当時、私は気づかなかったのですが、原稿用紙に手書きで名前を記すのは、「署名」するという行為そのものだったわけです。原稿用紙の署名は、そこに書きつづった言葉が何より自分のものであるとの証明でした。

だから算数の計算問題を採点されるのと、作文を添削されるのとでは、気持ちに大きな差が出ました。今思い起こすと、作文を評価されるということは、自分の内面も評価されているような気持だったのでしょう。つまり、そのとき私は、言葉と書き手は分かちがたいということを無意識に学んだのです。作文の授業とは文章の習練だけではなく、人と言葉の関係と結びつきを肌で感じ、実践する場だったと思います。文章ができあがれば文責が生じる、言葉には責任がともなうということを作文の授業を通して学んでいたのだと思います。

ネット上で発せられる文章は文責を問われることなく、SNS上の言葉は書き手から離れて暴走します。政治家の言葉は限りなく軽くなり、訂正や取り消しが頻発するようになりました。これも私はスマホ時代が生んだ現象だと思います。

ではなぜこうも言葉は軽く、信用ならないものになったのでしょうか？　ここではそれを著作権という視点からみていきましょう。

文章に限らず著作権は、書き手、発信者が特定されることで成立します。著作権とは知的財産権であり、作品を独占的に使用できる権利のことです。誰が書いたか分からないもの、作り手の名前が明らかになっていないものには著作権はありません。

近年、さまざまなジャンルで、その侵害が問題になっています。かつてＳＴＡＰ（スタップ）細胞騒動の際にみられたような学術論文の盗用、映画や音楽作品の無断コピーなど、著作権を侵害する事件があとを絶ちません。

この背景にはネットとデジタル技術の浸透で、原作のコピーが誰でも簡単に行えるようになったことがあります。

音楽評論家のピーター・バラカン氏は「インターネット時代に育った人々には著作権という概念がもうないように思う」（『クローズアップ現代』ＮＨＫ）という内容の発言をしていました。好きな音楽を無料でダウンロードして楽しんだり、卒業論文では他人の論文を無断引用しながら、パッチワーク仕立《じた》てで書き上げることが当たり前のように行われている現状では、バラカン氏の発言は的を射ているといえます。

著作権とは古くからある考え方で、そもそもはグーテンベルクの活版印刷技術の誕生とともに生まれました。それ以前は、著作物を一字一字、手で書き写しながら写本を作るしかなかった。モノとしての本がハードだとすると、そこに記された文章はソフトです。活版印刷技術がないころの著作物は、ハードとソフトが一体化していたのです。しかし印刷の普及によって簡単に複製本ができるようになると、書物というハードと作品（中身）というソフトを分けて考える必要が出てきた。こうして著作権という新しい考え方が生まれたのです。

その後、写真、録音、映像と新たな複製技術が生まれましたが、それに対応するために著作権保護は強化されてきました。しかし複製技術が拡大するほど、著作権を保護することはむずかしくなっていきます。

無神経で軽率な言葉であふれた世界

インターネットがグローバルに整備された現代、著作権はあらたな段階を迎えています。いまネット上には、無料の動画、画像、メッセージがあふれています。そこには著作権があるもの、ないものが混在し、利用者には仕切りがはっきりしません。なにより「著作権という考え方」をはなから持たない人も少なくありません。彼らはネット上にある著作、言葉、映像、画像を自由に利用し、自分のメッセージとして再発信するということを日常的に行っています。

現代のネットユーザーの共通感覚は発信した情報が拡散されて、多くの人に閲覧されたり、利用されることを願うというものです。だからネットで見られる情報を無断で使用する、というのは当然の権利だというものです。逆に著作権を振りかざし、自分の著作を保護しようという姿勢は、自由、平等がルールのネット世界のモラルに反する、という意見さえあります。ネットに流れているのは、「著作」ではなくすべて無料の「情報」だというわけです。その根底には、知識や情報は個人で独占されるものではなく、公開され共有されるべきだという考え方があります。

しかし文章や画像、映像を制作した個人や組織には、作品に対する著作権が存在しなければならない。それは著作者という職業が成り立たないというだけの話ではありません。著作権があるということは著作権者の「だれそれ」という固有名が、社会に対して明確であるということです。つまり著作権とは、権利の保護だけでなく、その作品に対しての責任が明確にされるという意味もあるのです。しかしネット上に存在する情報の多くには実名がない。いったいどこの誰の発言なのか、誰がつくった画像や映像なのか実体がよく分からない。

一方、匿名性が主流のSNSのなかで、フェイスブックは原則的に実名で書きこみを行うことを利用規約に盛りこみ拡大しました。「誰もが安心して情報を共有する」ことをモットーとしていましたが、現実は異なります。

二〇一七年のフェイスブックの匿名率は二〇パーセントを超えています。また有名人の名を騙《かた》った偽《にせ》の書きこみもみられます。創業者の一人であるマーク・ザッカーバーグは「フェイスブックでもニックネームを使いたいのであれば使えるべきです」と、インタビューで語っています。実名での書きこみという原則がなし崩し的になっています。

ネット社会で独占的な力をもっている企業の一つ、グーグルが運営するSNS、グーグル・プラスも実名主義でスタートしましたが、二〇一四年からは匿名も使えるようになりました。

誰もが平等に、どんな情報も自由に発信できるということで参加者を増やしてきたSNSは、匿名性を抜きにして成りたたないのかもしれません。

SNSでは、他人に自分のメッセージが受け入れられることが最も重要なことです。そのためにリツイートされたり、ネット上の仲間を介してさらに多くの人に広がるということが目標となります。だから、メッセージの内容はなるべく人目をひくようなもので、しかもとぎれることなく送りつづけなければならない。

しかし毎日発信するメッセージなのだから、いつも価値の高い、有益な内容を作ることは不可能です。勢い、中身は他愛ない、ばかげたものが多くなる。そのなかで、おふざけの動画や画像は仲間内では評判になるメッセージになりやすい。こうした悪意を含むものは、とりあえず名を伏せて送るにかぎります。

かつて世の中を騒がせた、たとえばバイト先の店舗のアイスケースに寝そべったその画像をネットにアップする「バイトテロ」も、仲間内で注目を浴びるために撮られた「おふざけ」でしたが、結果は店が休業に追いこまれるという深刻な事態をまねきました。このバイトテロは現在も続いています。そのすべては発信者の匿名性とメッセージに対する無責任さが原因です。

匿名性の罠《わな》

二〇年にテレビの恋愛バラエティ番組に出演した木村花さんが、SNSでの誹謗《ひぼう》中傷に耐えかねて亡くなりました。その翌年、母親の響子さんは、花さんが亡くなった後にも誹謗中傷をつづけた男性を裁判所に提訴しました。さらに、一九年にキャンプ場から行方不明になった女児の母親は、自分を犯人扱いするツイートを投稿した九人のアカウントについて、ツイッター社に開示請求の訴訟を起こしました。

みずからの名前を明かさずにたった一〇秒足らずで行える誹謗中傷は、SNSが生んだ負の側面です。

こうしたSNS上の言葉の暴力事件はあとを絶ちません。たとえばイジメによる生徒の自殺があると、犯人（イジメの加害者）探しが過熱します。ネット上に「さらす」ターゲットになるのは、いじめた側の家族ばかりか、被害者の家族、担任の教師など多数です。しかも同姓同名だったというだけで、事件、事故とはまったく無関係な人がネットにさらされて、見知らぬ者から脅迫を受けるということもあります。これらネットリンチは実名を隠して行われます。いや、匿名だからこそ起こるのだ、といえるでしょう。その結果、まったく無関係の人が多大な被害を被《こうむ》っても、リンチ参加者の氏名すら明らかになりません。

論文の無断引用、音楽作品の無断使用、バイトテロ、ネットリンチなど、こうした問題は一見すると、すべてバラバラに起こったつながりのない出来事のように思えます。しかしその背景には、自分の発した言葉や情報に対する軽率で思慮に欠けた態度がみえてきます。

ネットリンチに加わるのは、大半は普通の生活者です。以前、ネット上の誹謗中傷事件にかかわる弁護士に話を聞いたことがあります。

根拠のない悪評をたてられたある企業では、発信元を特定するためにプロバイダーに情報開示請求をかけました。悪評をたてた張本人はその企業を退職した元社員だと判明しました。「情報開示請求がきていますが、身元を先方にあかしてもいいですか？」とプロバイダーから話があった時点で、すぐさまその元社員はSNSをやめてしまったといいます。よって裁判に持ちこむこともなかった。

またある中年夫婦は二人で毎日のように有名小説家の誹謗中傷をつづけていました。これもプロバイダーから「弁護士を通して情報開示請求が来ている」と聞いただけで、すぐにメッセージを送るのをやめたといいます。本人たちはその小説家に悪意はなく、ただおもしろ半分にやっていたということです。

私たちもテレビやネットの情報に接して、憤ったり、腹立たしく思うということがあります。そうした感情をすぐさまメッセージにして受け入れてくれるのがネットです。たとえば一つの事象に批判的な記事やメッセージを目にしたとき、簡単に「いいね」ボタンをクリックすることがあります。この「いいね」ボタンと、自ら誹謗中傷のメッセージを送ることの間にあるハードルは、思っているよりもずっと低いと、私たちは自覚すべきでしょう。

それがネットの匿名性の罠というものです。

元少年Aという匿名のモンスター

「深淵《しんえん》をのぞき込むとき、その深淵もこちらを見つめている」

これは二〇一五年に出版された神戸連続児童殺傷事件の加害者である元少年Aによる手記『絶歌』に記された言葉です。この本は出版そのものの是非が議論されました。この問題を言葉が匿名化するスマホ時代に照らし合わせてみると、どんな答えが出るでしょうか。

先の一節、ご存じの方も多いと思います。ニーチェの有名な言葉であり、欧米では犯罪ドラマやノベルなどに、たびたび添えられる箴言《しんげん》です。しかしフィクションではないはずの『絶歌』の書き手が、現実に起こした事件そっちのけで物語をつづっているようで、首をかしげたくなりました。

「僕が人生で最も過酷で鮮烈な季節を生きた〝九十年代〟とは、一言で言ってしまえば〝身体性欠如〟の時代だ。僕は典型的な九十年代の子ども（ナインティーズ・キッド）だった」

このステレオタイプの批評とナルシシズムに満ちた文章もまた同書の一節。こんな他人《ひと》事《ごと》のような自己分析を読まされると、彼が自分の過去に真摯に向き合おうとしているのか大きな疑問が残ります。

殺人事件を起こした加害者の手記は、これまでたくさん発表されてきましたが、中には単なる自己弁護ではなく、犯行にいたる環境や加害者の心理を理解できるばかりか、一つの文学作品として読めるものもあります。一九七〇年代に発見され出版されたフランス十九世紀の犯罪手記『ピエール・リヴィエール　殺人・狂気・エクリチュール』（ミシェル・フーコー編著）などはその代表例です。

日本では連続ピストル射殺事件の永山則夫『無知の涙』、連合赤軍事件の永田洋子《ひろこ》『十六の墓標』など、犯罪を社会と歴史の中に位置づける材料になるような著作もあったし、英国人女性殺害事件の市橋達也《いちはしたつや》による『逮捕されるまで　空白の2年7カ月の記録』、秋葉原無差別殺人事件を起こした加藤智大による『解（かい）』は、一部の自己弁護的な記述は批判されますが、加害者の心理の一端を理解する手助けにはなりました。

しかし『絶歌』には事件の背景や、加害者の内面をうかがい知ることができるような箇所は見あたりません。そこが他の類書と異なるところです。その原因はこの本が「元少年A」という匿名で出版されたことにある、と私は考えます。

人は何を書こうとも自由です。日記に何を記しても、それで糾弾されることはない。しかし公表するとなると話は別です。被害者や遺族は実名が明らかにされていて、しかも本の中で元少年Aはその被害者の名前を堂々と書き記しているのですから、自分だけが匿名でいるというのは、どう考えても不合理です。

また私はこうも考えます。もしこの本が実名で出版されたなら、あるいは実名で公表すべく彼が執筆に取り組んだなら、きっと中身はまったく違ったものになったはずだと。なぜなら実名を明かすと、彼は自分の言葉に全責任を負わなければならないからです。逆にいうと、実名を明かすことによって彼は、自己の生存をかけた言葉を世に問いかけることもできたわけです。それは罪を償うことの始まりになったかもしれません。

本章の冒頭で、小学生の作文に名前を明記することが、言葉への責任を自覚させることになると述べました。いま一度、それを確認したいと思います。

匿名性が大手を振るネット時代

匿名の言葉は時にさまざまな人を傷つけ攻撃します。にもかかわらず書き手はベールに守られて、自分が投げた言葉の責任をとる必要はない。犯罪手記が出版されたことはこれまでにもありました。しかし『絶歌』のように大々的に匿名で発表されたことはこれまでになかった。私は現代のネット社会における言葉の無責任性に、活字の世界まで巻きこまれつつあるのではないかと危惧します。

かつて言葉は、発言者と密につながっていました。言葉が口から出たとき、それが誰のものなのか明確であり、曖昧さはありません。やがて言葉が文字に記録されるようになったとき、言葉の発信者=書き手が特定できないものも出てきた。しかし近代になって社会を構成する「個人」という観念が生まれると、書き手の存在に焦点があたるようになった。ことに公に向けた発言、創作物には、名を明らかにして語る、書くということが求められるようになりました。

かつて私が文学賞を受賞したとき、当時、住んでいたマンションの住所まで新聞に書かれてしまいました。二〇年ほど前までそれはさして不自然なことではなかった。作品を出版するということ、言葉を公にさしだすということは自己を他人にあらわにすることであり、同時にそれは自分が発する言葉への責任を実名で引き受けることなのだと、覚悟させられたわけです。実際に脅迫めいた言葉が記された手紙を受けとりました。

今も新聞の投書欄は、実名での投稿を原則としているところが多い。自分の言葉に責任をもつという点では当然ですが、こういう「場」はもはや風前《ふうぜん》の灯火《ともしび》です。しかし私は、公に発する言葉は原則的に実名であるべきであり、言葉への責任を負うべきだと考えています。

ネット言葉で公共性は守られる？

ではネット上の言葉はどうか。メールなどを除くと、それらの言葉は本人の意図はどうであれコピーされ不特定多数に届きます。手の平にのった画面やキーボード上に、言葉を待ち受ける人々の姿をイメージできませんが、それでも実際はそこに「公」があります。実はネットというのは、新しく生まれた言葉の公共空間なのです。

ただ、未だ未熟であるにすぎない。子どものまま巨人のように大きくなった。しかしいつまでもネットが未成熟でいいわけはない。一刻も早く大人になる必要がある。匿名の陰に身を潜めながら、無責任で有害な言葉や画像を大量に垂れ流しできる場であってはならないのです。

私がもっとも気になるのは、言葉への無責任性だけではありません。ネットでは「ミスよりのろまのほうが悪」といわれます。多少の間違いより、ともかくすぐに発信することが正しい、という考え方です。ネット上にはちょっと閲覧するだけで誤字、脱字などのミスが目につきます。それは公式のニュースサイトでも同様。スピード優先のネットでは文章の誤りはあまり問題にならないのです。

私たちにとっての言葉というものは思考そのものです。言葉を使って考える、判断するのが人間だとすれば、スピードが最優先されるネットでは、熟考する、内省する、深く考えるという、言葉による人間的な営為がないがしろにされはじめているのではないか。もしもこれからの社会が、ネット上を流れる言葉を中心に営まれるようになると、すべての言葉が鮮度を重視する生鮮食品のようなものになってしまうかもしれません。そこに思考の積み重ねや成熟、歴史といったものは不必要です。

こうなると、人間の言葉は思考をつかさどるのではなく、ネットを行き交う一過性の情報にすぎなくなる。そうした世の中がやってくるとすれば、ほんとうに怖いことだと思います。

第四章

ネットでは「盗み」は知的作業なのか

かつて「ノートをとる」ということは勉強の基本でした。だから試験の前にはノートを貸し借りしました。

いまノートは紙からモバイルの画面になり、他人の言葉や画像をワンクリックでコピーできるようになって、それはそれで便利です。

しかしやはり「盗む」って悪いことではないですか？

フェイクを信じてしまうタイプの人

二〇一六年に「ピザゲート」と呼ばれる偽の話がアメリカで拡散されました。やがてそれは首都ワシントンD．C．の、とあるピザ店に男が押し入り発砲する、という事件に発展しました。大統領候補だったヒラリー・クリントンの所属する民主党の幹部が、そのピザ店を根城に人身売買や児童買春を行っているという、実に荒唐無稽《こうとうむけい》な話を信じた男の犯行でした。

実際に存在するごく普通のピザ店を舞台にしたこの架空の物語は、全米の反民主党派の人々に「ウォーターゲート」をもじった「ピザゲート」としてまたたく間に広がり、多くの人がそれを信じたといいます。捜査当局の手でデタラメな話だと解明された今も、アメリカにはそれを信じて疑わない人々がいます。

一六年の大統領選では、多くのフェイクニュースが流されて、有権者の投票行動に影響を与えました。その後もさまざまなフェイクニュースが世界中で発信されて、インドやメキシコなどでは殺人事件が起こっています。

こうしたニュースを一瞬にして広めるのがネットです。二〇年に一部武装したトランプ大統領支持派の群衆がワシントンの議事堂を襲撃した事件も、背景にはネットを介した偽の情報がありました。

ネット情報の中にはフェイクが紛れこんでいて、それにたきつけられた人々が実力行使する。いくらフェイクニュースを排除しようとしても、不可能になってしまった。どうしてこんなことになったのでしょうか。

この章では偽情報に惑わされないためにはどうしたらいいのかを、あらためて考えてみたいと思います。

ネット上の偽物《にせもの》＝フェイクの出現をさかのぼっていくと、ある事件にたどりつきます。

世界的に有名になった論文不正事件です。

ネットとデジタル技術を使った捏造《ねつぞう》、フェイクという視点から、その原点ともいうべき有名な「ＳＴＡＰ細胞」騒動をふり返ってみます。

ＳＴＡＰ細胞という生物学の常識を土台から覆《くつがえ》す新発見に日本中が沸いたのは、一四年の一月のことでした。しかしそのわずか半年後、科学誌『ネイチャー』に掲載されたＳＴＡＰ細胞に関する論文がすべて撤回されます。検証実験でＳＴＡＰ現象が再現できなかったのです。

デジタル加工技術でどんな論文も作られる

論文の中身にも重大な疑惑が持ち上がりました。実験を記録した画像を、デジタル加工して作り替えていたのです。指摘を受けた当の研究者は「とり違えただけの悪意のないミス」「分かりやすくするために加工した」と答えました。

この疑問と弁明を聞きながら私が思いだしたのは、中学時代の理科教室でのあるやりとりです。友人は生物部の部長でした。ある日私が教室に入ったとき、彼は一心に顕微鏡を覗いている最中で、私にまったく気づかないようすでした。私はいたずら心から、大声で彼の名を呼んでみました。すると友人はひどい剣幕で怒りだし、それからしばらく口もきいてもらえなかったのです。そのとき彼が描いていたスケッチが、びっくりした拍子に台無しになってしまったからです。

顕微鏡を見ながらのフリーハンドスケッチは大変にむずかしく、たとえば論文に添付できるほどに仕上げるには、根気のいるトレーニングが必要だということを、そのとき初めて知りました。

しかし今では、そんな必要はありません。スイッチ一つで微細なデジタル画像を手に入れることができる。しかもそれは加工やコピーも自由自在なのです。ＳＴＡＰ細胞の論文に添付されていたのもこのデジタル画像でした。

こうした画像やネット上のデジタル文書の利便性を悪用した不正が、学問研究の分野で近年あとを絶ちません。

ざっとふり返ってみただけでも、〇五年に発覚した大阪大学での医学論文における画像データの捏造《ねつぞう》、その後も東京大学大学院で工学系研究科の論文一二本のデータ捏造、名古屋市立大学で一九本の論文における画像不正使用、東京医科歯科大学において三本の論文でデータが捏造、東邦大学で麻酔科医による論文一七二本において捏造……などの事件がありました。これらのほとんどでは懲戒《ちょうかい》解雇という厳しい処分が下っていますが、その後も毎年のように論文の不正が発覚しています。

実はＳＴＡＰ細胞の論文不正が発覚する直前にも、データ改ざんの疑惑が発覚したのですが、一部で新聞報道がなされているだけで、社会はすぐに忘れてしまいました。

国と製薬会社が三三億円をかけて、アルツハイマー病の早期発見を目指すという税金を大量投入したプロジェクトで、多くの臨床データがつごうよく書き換えられていた疑いが出ていたのです。朝日新聞の記事によると、東京大学の代表研究者は共同研究者に口止めのメールまで送っていたといいます。同大学ではそれ以前にも、白血病治療薬研究で患者の個人情報が製薬会社にわたっていた事件があり、また同大の分子細胞生物学研究所の元教授グループによる論文不正が発覚しました。

これらの情報漏洩《ろうえい》や改ざん、捏造はすべてデジタル技術による画像加工、ネットを利用した盗用など、最新技術を利用して行われました。

ネット技術の進化が悪事をそそのかす

なぜこれほど、論文や臨床データの不正が横行するようになったのでしょうか？ 生物化学や医療が巨額のマネーを生みだす「市場」になってしまい、研究者への誘惑も多く、モラル低下の歯止めがなくなっているからだともいわれています。

しかし、研究者が名声や富を求めて論文の不正を働くということは、けっして近年にかぎったことではありません。

古くは一九二六年にオーストリアで起こった、カエルの婚姻瘤《こぶ》を着色し捏造した「サンバガエル捏造事件」、一九七四年にアメリカで起こったネズミの皮膚にペンで黒い点を描き皮膚移植が成功したかのように装《よそお》った「サマーリン事件」などが有名です。実験動物に着色するという、デジタル時代の今からみると、じつにアナログな方法で行われた、バレやすい捏造ですが、それでも不正に手をつける者はいたのです。

ではなぜ現在、このように学究分野で不正が頻発するようになったのか？　結論を先にいうと、「モラルの低下」が原因ではありません。それは結果にすぎないと思います。

原因はデジタル技術を使えば、実に簡単に不正が行えることにあります。その技術的なハードルの低さがモラルの低下を招き、不正を横行させているのです。

ＳＴＡＰ細胞騒動では、実験ノートが検証できないほど粗雑だということが問題になりました。

科学の実験ノートには、国際的に決まった暗黙のルールがあります。不正を防ぐためにもうけられたもので、文章は筆跡が分かるようにペンを用いた手書きでなければならず、改ざんを防ぐため修正液などでの改稿は行わないなど、ことこまかな規則があります。つまりデジタルではない、アナログな書き言葉にこだわったのが実験ノートだということができます。これを捏造し見破られないようにするには大変な労力が必要です。他の研究者の目を盗んでやるには、よほど慎重に偽装作業が行われなければいけません。STAP細胞の実験ノートの場合、これがスカスカだったのです。

その代わりに研究者が力をこめて発表したのは細胞を写したという画像データでした。そして弁解に終始するのもその画像データについてでした。つまり加工した「画像」を中軸にすえて、実験ノートという紙に書かれたインクの書き言葉はつけたし程度に添えたという、安易な姿勢が露呈したともいえます。

手書きの実験ノートや顕微鏡を通して写しとったフリーハンドのスケッチを改ざん、偽装するのはたいへん手間がかかる作業ですが、デジタル画像を加工したり、他人の論文をネットからコピーして自分のものにするのはとても簡単です。デジタル技術によって、不正のハードルが「低くなった」というより「なくなった」といっても言い過ぎではありません。つまり現代のデジタル技術によってじつに簡単に不正を行えるようになったのです。

あくまでも中心はデジタルな言葉=画像であり、インクによって書かれる言葉は周辺の付録にすぎないという考え方、姿勢がSTAP細胞騒動やその他さまざまな研究の偽造、改ざん事件を生んでいるともいえます。

現代ではネット上の言葉、画像、動画こそが創造の支えであり、アナログの書き言葉はまるで形骸化した遺物のようにとらえられている。ＳＴＡＰ細胞騒動は、そんな時代の象徴的な出来事だったのです。

不正の起源は〇五年にある

ふりかえると〇五年こそが、科学技術や産業社会におけるモラル低下と不正蔓延《まんえん》のスタートでした。阪大、東大で論文のデータ捏造が続いた同年に社会的な衝撃を与えたのが、建物の耐震強度を偽った構造計算書偽装事件でした。

手書きの複雑な構造計算書を書き換え偽装するのは大変だろうというのは、素人《しろうと》の私にも分かります。しかしコンピュータプログラムで作成した計算書を書き換えるのは、プロなら簡単です。それに改ざんの証拠がプログラムというブラックボックスの中にあって、外部から見えにくいのも不正に走る要因となりました。

改ざんなどの不正はいろいろな領域に拡大しています。一〇年には大阪地検特捜部の検事が証拠のフロッピーディスクの日時を書き換えるという証拠偽造を行いました。これもワンクリックで行える偽装行為です。改ざんのハードルはなくなり、不正への誘惑はその分強くなっていて、また発覚しにくくもなっている。

ＳＴＡＰ騒動の中心人物の元研究員は、博士論文にも無断引用がみられるとネット上で指摘されたことから、彼女の出身大学の学部で他の研究者の論文も検証するという動きになりました。

しかし論文の無断引用については、かねてから多くの大学で指摘されていたことでした。卒業論文がコンピュータがもつ機能であるコピー＆ペースト、つまりコピペを使って無断引用されたものが多い。その対策として一部の大学では、審査のまえに提出された論文を剽窃《ひょうせつ》発見ソフトにかけて調べるということをやっています。ある大学では約一割の卒論で不正の疑いが出てきたということです。しかし問題は、優秀な剽窃発見ソフトをつくることでは解決しません。

世代が若くなるほど、コピペも無断引用も悪くないばかりか、賢い情報活用であるという意識が強くなっています。社会全体でも、コンピュータによる無断引用や改ざんへの抵抗力が薄れてきている。

ＳＴＡＰ騒動では、実験ノートという書き言葉が杜撰《ずさん》で検証できないとわかった時点で、幕が引かれるべきでした。しかし当の研究機関も社会の目も画像データというデジタル情報にこだわりました。紙の上の書き言葉がデジタルな言葉に対して、相対的に軽んじられています。

ＳＮＳではリツイートなど、引用は日常的に行われています。おまけに、自分の言葉も他者の言葉も同一画面に同一の字形で表示される。くり返される言葉や画像のやりとり、引用、加工が同一の画面上で行われるために、自分の言葉と他者の言葉との壁を曖昧にする。たとえ他者のメッセージであっても、それに共感しリツイートしたとたんに、自分の言葉となってしまう。この「錯覚」が常態化されたものがネットである、ということもできます。現在、頻発している言葉の偽装や偽造などは、半ば無自覚に行われる常態化した行為なのかもしれません。

嘘《うそ》が現実を変える

物心ついたころからスマホを手に育ってきた世代が、世の中の主流となったとき、言葉の無断引用や偽装に対する社会の意識が変化しているかもしれません。ネットという世界における新しい言葉の技術が、いまの私たちには考えられないような常識やモラルの変化をもたらすということが起こりそうです。

こういった見方には反論もあるでしょう。「肝心なのは事実だ。現実はネットより強い」たしかにその通りです。しかしこう考えることもできます。たとえば臨床データ偽造が行われたとする。それはいわば架空のデジタル・データですが、内部告発でもないかぎり表に出ることはない。それが治療や新薬となって現実世界につながっていく。その場合、私たちの現実が架空のデータによって変えられたということになります。

学術論文の不正が示したのは、デジタル技術でいとも簡単に偽の情報、画像や文字情報が創作できるということです。

現代ではその偽の情報が、SNSなどのネットを通して瞬間的に拡散していきます。論文という狭い枠の中に止まってはいません。SNSの普及はフェイクがニュース化して世界中に広がる世界をつくりあげてしまいました。

さらに厄介なのはネット世界には、現実と仮想が渾然《こんぜん》と入り乱れていることです。嘘と真実が同居していて、それを見分けるのはきわめて困難になっています。

ネットは二一世紀のモンスターメディア

現代社会は情報の伝達や人々のコミュニケーションをネットに託すようになりました。そして、自分で考えるという思考方法をあきらめて検索にたよるということも出てきている。ネットは私たちの思考や内面、人間関係のあり方、さらに社会そのものを大きく変えようとしています。

五〇〇年ほどまえにグーテンベルクが活版印刷技術をつくりあげ、それによって社会は大変化をとげました。紙にインクで印刷された言葉が聖書を普及させ宗教改革を進め、またさまざまな近代思想を広め、近代国家の骨格をつくりあげました。現在議論されている憲法はこの書き言葉によって成立しています。新しく登場したインターネットは、活版印刷技術の誕生を超える衝撃を歴史に刻むでしょう。

デジタル技術を基礎にしたインターネットは二〇世紀末から増殖し始め、現在では地球規模で網羅されるグローバル・ネットワークとして発展しました。その影響力の大きさはまさに怪物級であり、モンスターメディアと呼んでもさしつかえないでしょう。

言葉を伝える既存のシステムである郵便、電信、新聞、出版、ラジオ、テレビなどは束になっても勝てなくなっている。いや、「勝てない」というのは正しい言い方ではありません。「のみこまれようとしている」というのが正確でしょう。郵便は電子メールへ、新聞はネットニュースへ、出版は電子書籍へと移行しつつあります。ラジオ、テレビはスマホやパソコンなどで視聴できますし、音楽や映画もネットを通じて楽しむことが可能となりました。

個人の日記や会話や「つぶやき」声は、ブログやSNSになりました。

おまけにネットはテレビのように一方通行ではありません。人それぞれが受け手にも、発信者にもなれる双方向性があります。しかも瞬時に！　さらにそこでは動画さえもやりとりできる。

ここからはネット上を流れる文字、音声、画像、動画などをまとめて「ネット言葉」と呼び、話を続けます。

これまで私たちが使ってきた言葉は、大まかに二つに分けることができます。声にだし耳で聞きとる「話し言葉」（音声言語）と、文字にしるして読む「書き言葉」（文字言語）です。この二つは「声」と「紙」という別々の媒体を通して、それぞれ異なった役割を担《にな》っています。

しかしネットは違います。そこでは「話し言葉」と「書き言葉」を同時にやりとりすることも可能ですし、さらに画像や動画といった映像表現も取りこむことができる。言葉の使い勝手が既存のメディアとは次元をこえるほど「豊か」になりました。よって現代人はネットのデジタル情報に、紙に書かれた「書き言葉」や、日常的にやりとりされる「話し言葉」以上に、依存するようになってきています。

スマホが偏見を生む

二一年、新型コロナの感染拡大でその年二回目の緊急事態宣言が出たのはゴールデンウイークの前でした。しかし観光地や都心の人出が思ったほど減らず、その効果が危ぶまれました。あるテレビニュースでキャスターが「私たちの声が届いていない」と嘆いていましたが、実際に現地を取材した記者の声として、緊急事態宣言が出たのを知らないという人が多かったと伝えていました。つまり「届いていない」とは「情報そのものが伝わっていない」ということだったのです。

テレビ、新聞で行われる大々的な報道が、すぐさま全国民に行き渡るという時代はすでに過去のものとなりつつあります。NHK放送文化研究所によれば、テレビの視聴時間は「男女10・40・50代と男60代以上といった幅広い年層で減少しており、これまで長時間視聴する高年層によって高い水準を維持してきた国民全体の視聴時間が減少に転じた」（二〇一五年　国民生活時間調査）ということです。

かねてから若い世代のテレビ視聴時間が年々減少しているといわれていましたが、中高年にもテレビ離れが始まったのです。テレビに代わって何を見ているかというと、いうまでもなくスマホです。スマホはユーザーの情報の視覚を狭めてしまう傾向にあります。一般的なニュースには関心がなく、SNSやゲーム、ファッションや食などの情報サイトばかり見ていると、緊急事態宣言のように私たちの生活に直接影響するような重要な情報すら見逃してしまう。そんなことが起こっています。

アメリカの政治学者、ベネディクト・アンダーソンは『想像の共同体』で、かつて新聞が全土に普及して、それで国民の意識がまとめられていったということを述べています。二〇世紀の半ばからは、その役割をおもにテレビが担うようになりました。子どもから大人まで、全国で同じニュースを同時に見るということが起こり、そこから世論の形成が始まる。

ところが現在の若い世代のようにスマホだけが情報源になると、自分が好きなタイミングで興味のある話だけを限定して受けとる。まるで単一指向性のマイクのように、あらかじめ限られた狭い範囲でしか情報を得ようとしない。そこに意見の偏りやフェイクが生まれるわけです。新聞やテレビ、書籍といった幅広く物事を伝える情報媒体が衰えると、社会はいたるところで摩擦やぶつかり合いを起こすことにもなります。

本を読んで視野を広げよう

人々がますますのめりこんでいるモンスターメディアは、日夜、フェイクを振りまいている。私たちはどのようにして、偽と本物を見分けることができるでしょうか？

この二つを峻別《しゅんべつ》するためには、こうした偽情報がどのようにして拡散されるのかを、まず知る必要があります。

ネットには、そのユーザーが個人的に好む情報や広告だけを選別して届ける「フィルターバブル」という機能があります。スマホやパソコンで検索をかけたり、閲覧を続けると、ユーザーの指向性をネットは把握して、情報にフィルターをかけて、あらかじめ選別されたものだけを送ってくる。するとユーザーの興味の範囲は広がることなくどんどん狭くなり、広大なネット情報のごく一部だけをピンポイントで受けとっているに過ぎなくなります。つまりバブル＝泡のなかに閉じこもってしまう。

しかも悪いことに、ネットがかけているフィルターは見えないので、自分がそうした「知的孤立」に置かれているということを自覚できない。その罠にはまったユーザーは、なかなかその孤立状態から抜けられなくなります。フェイクニュースを見分ける眼力が弱くなるのは当然です。

そこでフィルターを打ち破ることが重要になります。それにはネットのフィルターを意識して、興味の幅を広げる意志を持ち、時にちょっとした知的な冒険をはかるのもいいでしょう。私は書店や図書館で本を見て回るだけで、視界が少し広がった気分になれます。

フィルターバブルというネットの仕組みだけが問題なのではありません。私たちの心理状態もまた、フェイクを受け入れる下地をつくることがあります。人間はだれしも聞きたい話だけを受け入れて、不快で興味のない話には耳をふさぐという性質があります。だからネットの情報収集でも、受け入れたいと思うものだけを集めて、それ以外を閉め出してしまうということが起こってくる。こういう心理を「確証バイアス」といいます。

前に紹介したピザゲート事件なども、多くの人に確証バイアスが働いた結果、広まったものです。日頃からある既成政治やマスコミへの不信感、嫌悪《けんお》感が情報の評価へバイアス（偏《かたよ》り）をかけてしまう。

確証バイアスが強い人は、同じ指向性の人たちとSNS上で群れをなすようになります。それが心地いいからです。その群れはどんどん拡大して、参加している人は、まさにそれが世の大勢、支配的な世界観であると思いこんでしまいます。

私たちには高速で行き交うネット情報を、自分自身の思考を通さず瞬間的に受け入れ反応してしまう傾向があります。情報を受け入れるか、それとも拒否するかは、第一印象からくる瞬間的な「信じたいか」「信じたくないか」という感覚的な判断です。信じたい話ばかりに出合えるサイトやSNSの掲示板などは、そこに浸っていると心地いい。それでいつまでも居続けて、フェイクの罠にはまってしまうのです。

今、コロナ禍で私たちの心理は、強いストレスにさらされています。こういう時は確証バイアスがいっそうかかりやすいものです。社会が不安定な時ほど、フェイクがはびこっていくということがいえます。

ではどうすればいいのでしょうか。私はスマホやネットを使いすぎたと思ったとき、そこからいったん離れて、新聞、雑誌、本などの紙に記された文章に、あえてふれるようにしています。それらはネット情報と違って、自分で手間をかけて選び出し、中身を吟味しながら読まなければならない。「信じる」「信じない」という直感的な判断ではなく、読むという思考活動を通った上での判断を必要とするのが紙に記された言葉です。

第五章

コロナ禍が
祭りをネットに移した

われを忘れてはじける。
それが祭りのいいところですが、
仮装した裏の素顔は、
ひどく醒《さ》めているようにも見えます。

コロナ禍で、そんな祭りが消えました。
再び街にくり出す前に、私たちには
孤独のリハビリが必要です。

仮装の若者に占拠された渋谷

コロナ禍の中で、もっとも目にしなくなったのは何でしょうか？　その答えは「群衆」です。

群衆は都市の顔というべきものです。広場、駅、野球場、遊園地、花火会場、海水浴場、観光地を人が埋めつくす。そんな光景がコロナ禍ですっかり消えました。私にとって一番印象深い群衆は、ハロウィンの夜、渋谷スクランブル交差点でうごめいていた人の群れです。ここで一六年一〇月のある日を思いだしてみます。私もその夜、渋谷交差点にいました。

少女たちがゆっくりとこちらへ近づいてきます。大勢の中でも目を引く三人組です。年格好は二〇歳くらい。成熟した大人ですが衣装はまるで少女そのもの。黒いひらひらしたスカートに網タイツをはき、首にはおそろいの黒いチョーカーをはめています。ゴシック&ロリータ（ゴスロリ）と呼ばれる扮装《ふんそう》ですが、顔は死人のように白い化粧で、目のまわりは紫色に縁取りされていてゾンビのようです。しかしメークを落とすと、きっとふつうの女の子なのでしょう。

そのうちの一人が、すれ違いざま私の目の前で急に片手をあげたので、とっさによけました。一瞬、彼女のやわらかい太ももが私の足にぶつかりました。「ごめんなさい」と声をかけましたが、それを無視した彼女は「イェイッ！」と小さく叫び、私の背後を歩いてきた男とハイタッチ。チラリと目に入ったその若い男の顔は、赤い唇が耳のところまで裂け、額には稲妻のような黒い模様。グロテスクなメークをした若者が、私の背中にピッタリつきながら歩いていたと知って驚きました。

しかも彼の体からは異臭が漂っています。さっきから鼻についていたクレゾールのような消毒液の臭いは、彼から発せられたものだったのです。この異臭の演出は当時のトレンドだったのかもしれません。一〇分ほど前にセンター街の中で、同じ臭いを嗅いだことを思いだしました。

居心地の悪さがピークに達しましたが、身動きもままならない群衆の中では、ただ身をまかせるしかありません。幸いなことに私は、人々から無視されているので、彼らのようにふるまう必要もなく、その分だけ気が楽です。ゴスロリの彼女たちにも、奇っ怪なメークの男にも、ふつうのコート姿の中年男などはどうでもいい存在なのでしょう。

私は人混みをかき分けながら、山手線《やまのてせん》のガード下へとどうにか脱出できました。薄暗がりに一〇台ばかりの灰色のバスが、ずらりと連なって停車しています。窓にはカーテンが引かれて、中の様子は分かりません。警備にあたる警察官たちが息をひそめているのでしょうか。

群れを離れて群衆を観察していると、この人々には、独自のルール、集団を組みたてる「文法」のようなものがあると気づきました。それにはコスプレ用の衣装を身につけているかどうか、という分かりやすいものも含まれているのですが、そのほかにも確かな言葉で表現することがむずかしい何かがたくさんあるようです。たとえば片手にスマホを持っていて、被写体に値する誰か、あるいは何かを見つけると、すぐさま撮影しようと準備する心のかまえや、クレゾールや強烈な香水の臭いを身につけたりすることも、この一見乱れてみえる集団に共通する文法だといえそうです。

さまざまな有形無形の了解事項が合わさって、そこに一種の一体感が漂う。私はそれからはずれているのだと感じました。群れの中に窮屈に押しこめられながら、自分の存在はそこから排除されているという、いささか矛盾した状態に、私はおかれていました。

では、この場にふさわしい装束を身にまとえば、私もすぐに彼らと同化できたでしょうか。そうは思えません。私の心持ち、気持ちがじゃまをします。彼らを「群れ」として突き放してみてしまう私の視点が壁をつくっているのです。

そうした疎外感、居心地の悪さの象徴がスマホの不在です。そのとき私のスマホは自宅のテーブルの上に置きっぱなしにしていました。

スマホがつくるハロウィン

なぜハロウィンをこの本で取り上げるのか。それは近年、まるで年中行事のようになったこのパレードが、スマホによってできあがった新しい祭りだからです。みんなスマホで連絡を取り合って集合し、スマホを片手に群れに加わります。ここでハロウィンとネットの関係を考えてみます。

ハロウィン翌日の新聞報道によると、全国の街では「斬新」な衣装に身を包んだ若者たちが大勢集まり、ハイタッチをしたり、パレードをしたりしたということです。そればかりか街のブティック、美容室、居酒屋などにもハロウィンに合わせた扮装の店員が登場したとか。そういえば近所のケーキ屋さんでは、ガラスケースの上に顔の形に穴があけられたカボチャの置物が飾られ、店員は黒い三角帽に黒いマントを羽織っていたことを思いだしました。こんなに多くの「大人」が参加するハロウィンは世界でもきっと日本だけでしょう。

そもそもハロウィンとはどんな祭りなのでしょう。それを知ると、渋谷のハロウィンとネットの関係がよく見えてきます。ハロウィンはアメリカで始まった子どもが主役の行事でした。日本でもかつては主に幼稚園などで開かれる子どものための催しでした。大勢の大人が参加するようになったのは、ここ一〇年ほどのことです。

本場アメリカのハロウィンでは、魔女や怪物などに扮《ふん》した子どもたちが近所の家々をまわり、お菓子をもらって歩くそうです。その仮装だけが日本に入ってきて、最近のハロウィンパレードになったわけです。もともとは、子どもたちが近所の家々を訪ね歩くのがメインの行事ですから、そこには近所づきあいがあるコミュニティが地域に存在していなければならない。地元住民の共同体があってこそのお祭りなのです。

自然発生的なハロウィン

ハロウィンときいたときに、まっさきに思い浮かべるのは、私が子どものころに体験したある祭りの風景です。それはハロウィンとはまったく似つかない静かで情緒あふれる祭りでした。

場所は福岡市の箱崎町、時代は昭和三〇年代、七月の夏休みが始まったばかりのある日のことです。

夕暮れごろ、洗い立ての浴衣《ゆかた》を着た子どもたちが集まってきます。下駄《げた》をカランコロンといわせながら、手には線香の入った袋を携えて、近所の家を回り始めます。家の暗い庭先には陶器や石でできた大きな器が一つ置かれていて、その中でろうそくの火がポッと明かりを灯《とも》していた。近づいてみると、敷きつめられたベージュ色の砂の上にミニチュアの素焼きの人形、水車小屋、イノシシやクマなどが配置された箱庭がつくられている。その隅には、先にお参りにきた子どもたちが残していった線香からの残り香が漂う。家の奥に向かってみんなで「こんばんは」と声をかけると、やおらおばあさんが顔をだして、あめ玉をくれるのです。

こうして近所の箱庭のある家々を回っていくのですが、子どもが主役であり、地域の家々をまわってお菓子をもらうというこのスタイルは、まさに元祖ハロウィンとそっくりです。仮装はしませんが、新しい浴衣というハレの装束を身にまといます。

私の記憶の隅にあるこの行事は、当時すでに衰退し消えていく直前だったようです。私も二、三度、参加したのですが、今ではもうその行事の存在を覚えている人も少なくなったようです。当時、その町では新住人だった私の家は、箱庭を出すことはありませんでした。新しい住人が増えて、このささやかな祭りを伝承する家が少なくなり、自然にとだえてしまったのでしょう。コミュニティのつながりが崩れていくとともに、昔から伝わる小さな地域だけの祭りは支えを失い消滅したのです。

伝統的な祭りは、地域のつながりがなくなれば消滅します。そうしてなくなった古い祭りは全国に無数にあります。その反対に、地域のつながりがなくなっても、大きく発展した祭りもあります。イベント化、商業化した祭りです。そして渋谷のハロウィンのようにネット時代に「発生」し、急速に大きくなった祭りもあります。

ネットが新しい祭りをつくる

伝統的な祭りと違って、日本のハロウィンは地域のつながりとは無縁な新しいタイプの祭りです。渋谷のハロウィンをつくりだしたのは、渋谷に従来から存在する既存のコミュニティではありません。そこに人々を吸引し群れとなしたのは、スマホのネット機能なのです。ハロウィンで渋谷にやってくる人々は、フェイスブックやツイッターといったSNSで連絡を取り合い各地から集合します。スマホの「＃（ハッシュタグ）渋谷」「＃ハロウィン」で検索して、祭りの様子を確認したりもします。主催者も会場の公式な設定もない祭りですから、スマホがなければ始まらないのです。

ではなぜ、これまでの祭りの主体となったリアルな人と人とのつながりが、今はなくなってしまったのでしょうか。まずなにより、隣近所との付き合いを中心とする「地縁」が薄れました。家族親族との「血縁」も以前ほどの強い結びつきはありません。職場でも非正規雇用が増え、終身雇用が絶対的なものではなくなった。このように雇用の流動性が高まっている中では、「会社縁」というものもほとんど感じられない。そうした人と人とのつながりを実感しにくい社会に、現在の私たちは暮らしています。

地縁、血縁が生きていた時代には、地域に密着した盆踊りなどの祭りが、各地で催されていました。大家族主義をうたう企業などは、自ら盆踊りや運動会を催したところもあったほどです。しかし、地域の結びつきが薄れていったとき、地方の経済的疲弊や過疎化があいまって旧来の祭りはしだいに姿を消していきました。

そして入れ替わるように拡大していったのが、都市型のイベント化した祭りです。たとえば東京だけでも、浅草の三社祭といった旧来の祭りとは別に、高円寺の「阿波《あわ》おどり」、原宿の「スーパーよさこい」、浅草の「サンバカーニバル」、品川、世田谷《せたがや》などの「ねぶた」と、さまざまな祭りがご当地から移植されて、毎年多くの人を集めています。動員数は数十万から一〇〇万人を超えるものまであり、みんな大規模になっています。

これは全国の都市に波及しています。「よさこい」「ねぶた・ねぷた」などは、全国各地に飛び火していて、地域を代表するイベントになったところもあります。これら都市型の祭りは人々の縁が薄れていった地域で、その空白を埋めるように発展していきました。花火大会、花見、また野外の大がかりなロックフェスティバルなどのイベントも、広義には現代的な祭りの一つといえます。

こうした祭りには運営する組織があり、計画にしたがって準備され、当日も時間単位のスケジュールで祭りが管理されます。それと比較して渋谷のハロウィンにはプログラムもなければ、事前にどのくらいの規模になるのかさえ分かりません。この違いは大きい。というのもハロウィンのように自然発生的に始まり、数時間で終わってしまうような大きな祭りは、これまでなかったからです。ハロウィンはネット時代が生みだした二一世紀的な「群れ」の現象なのです。

仮装は素顔を隠す仮面

ハロウィンに大勢の若者が集まってくるのは参加の手軽さと、もう一つは衣装やメークを自己表現として楽しめるからです。

コスプレを楽しむという行動は、実はＴＤＬ（東京ディズニーランド）やＵＳＪ（ユニバーサル・スタジオ・ジャパン）で、以前から始まっていました。この場合、入場者の目的は、アトラクションを利用して楽しむことよりも仮装して園内を練り歩くことにあります。ハロウィン・イベントの期間中は入場者数も増加しました。

ＵＳＪではこのほかにもホラー・ナイトという夜のイベントを設けていて、ゾンビなどの衣装やメークを凝らした若者が数千人も詰めかけるということで有名になりました。

一見すると奇抜な仮装は強烈な自己主張にみえます。しかし本当のところどうなのでしょう。それは日本代表のサッカーの試合で、観客が顔にフェイスペインティングしたり、映画「スター・ウォーズ」のオープニング上映会でダース・ベイダーのマスクをかぶったりすることと同じで、実は個人を隠す個性殺しです。記号としての扮装《ふんそう》を行うことで、自己の固有名詞を覆い隠してしまう。だからこそ、感情を爆発させたり、はじけたりできる。個を捨てることで群衆との一体感を得ることができるわけです。

スポーツ観戦での応援、コンサート会場での観客も群れのなかで「もまれる心地よさ」を味わえます。

現代の祭りにおける仮装とは、それを楽しむためにあるというより、自分を隠してふだんできない感情爆発の時間を手に入れると同時に、群れとの一体感を得るためにあるともいえます。

時を太古まで遡れば、人類が世界に拡散し文明を築けたのは、大きな群れを作ったからだといわれています。群れをつくることは狩猟にも、農耕にとっても合理的であり、多くの収穫物を手に入れるもっとも有効な方法でした。他の捕食動物との競争に打ち勝てたのも、群れがあったからです。力の弱い人類にとっては、できるだけ大きな群れをつくることが、他の集団に勝つ方法でもありました。

私たちの内面には過去の歴史時間によって組みこまれた群れへの依存性が、今も色濃く根づいているのかもしれません。近代社会は一個人という観念を人に植えつけました。しかし個々人に宿っている「群れること」への憧れまで捨てることはありませんでした。渋谷の群衆が発するエネルギーの源は、そうした太古の記憶にあるのでしょう。

街頭演劇としてのハロウィン

一九七〇年前後に、街中で演劇を行う街頭演劇が行われたことがありました。突然、路上に登場した演技者たちに、往来を行く人々はびっくりして立ち止まり、警察に通報する人も出てきた。それは日常の空気をかき乱す、とても攻撃的な雰囲気を漂わせていました。彼らは舞台用のドーランで顔を濃く塗りあげ、奇妙な衣装を身にまとっていました。

ハロウィンの模様を最初にテレビで見たとき、私が思い浮かべたのは半世紀も前に流《は》行《や》ったこの街頭演劇でした。

渋谷の路上で奇妙な衣装を身にまといハイタッチをくり返していた彼らも、街頭の演技者を自覚していたのではないかと思えます。

人と人とがつながる一体感に酔いしれているように見えながら、せっせとスマホで自らを撮影し、SNSにメッセージを送りつづける。ハイタッチをくり返し解散となると、渋谷駅の改札前では「お疲れさーん」と声をかけ合い家路を急ぐ若者たちがいたといいます。なんとも醒《さ》めたこのシーンの若者たちは、まるで演技を終えて劇場を後にする役者のようです。ハイタッチやパフォーマンスの一体感や熱狂は、あくまでも非日常、あるいは作られた虚構であり、「お疲れさーん」という醒めた挨拶は、日常へともどるスイッチなのかもしれないと、私には思えます。

ハロウィンのコスプレというペルソナ（仮面）の向こうには案外醒めた気分と、祭りの空気に身構えた孤独な個人が隠れているのかもしれません。渋谷で即席に手に入れた群れとしての一体感や興奮は、またたく間に消費されてしまう。この感情の起伏の激しい、感動と倦怠《けんたい》の高速運動は、まさにスマホ時代そのものです。

コロナ禍後は孤独のリハビリから始まる

大手広告代理店の博報堂が毎年実施している生活定点調査によると、「人づきあいは面倒くさいと思う」と答えた人の割合が、二〇年には三五パーセントに達していて、一九九八年から約一二パーセントも増加しています。考えてみればこれは不思議な現象です。

ネットとスマホが普及して、コミュニケーションが豊かになり、他者との接続、交流も簡単になっているはずなのに、現実は人づきあいが面倒になっている。このパラドックスを私たちはどう受け止めればいいのでしょうか。

きっとスマホを通したネット上のつながりは「人づきあい」の範疇《はんちゅう》ではないのでしょう。リアルな人づきあいが想定されない、ネット上のデジタルな接続は、たんに情報の共有やデジタルな自己表現の場でしかないということです。

このまま私たちがスマホ依存度をあげていくと、人と人との関わり方もさらに醒めたものに変化していくのかもしれません。それで満足かというと、やっぱり違うといわざるをえない。

一八年に英国で孤独担当大臣が誕生しました。これは社会的に孤立した高齢者が孤独におちいり、健康を害したり、自ら命を絶ったりするのを防ごうという目的で設けられたものです。

英国を見習うように日本でも二一年、コロナ禍の最中に、実に唐突に孤独担当の大臣が誕生しました。具体的に何をやるのか、まったく分かりませんが、日本の孤独担当大臣は英国とは異なって、若者も想定したものだといいます。

コロナ禍では社会的に孤立した女性の自殺が増加しました。孤独に身を震わせながら日々を送っている人たちの姿が目に浮かびます。彼らの孤独は孤立によって生まれるので、社会の表面に露出することはまれです。孤独は隠されたまま葬《ほうむ》られてしまう。

人と人とが距離をとらなければならないコロナ禍では社会的孤立が増える。これは道理です。しかし私が驚いたのは、その孤立から生まれる孤独に対して、万能のコミュニケーション装置であるはずのスマホが、さして役に立たないという現実です。

アンデシュ・ハンセンは「2000人近くのアメリカ人を調査したところ、SNSを熱心に利用している人たちのほうが孤独を感じていることがわかった」(『スマホ脳』)といいます。孤独感が強い人ほどSNSに逃げる、と言いかえられるかもしれません。たしかにリアルな人間関係が充実していると、SNSやゲームに長い時間を割《さ》く余裕はないかもしれません。

コロナ禍で多くのイベント、祭り、ハロウィンのような群れが街から消えました。知人と直接会うことが減り、新しい出会いはほとんどなくなりました。その分だけスマホによるデジタルなコミュニケーションが増えました。

長く続くコロナ禍は、人と人とのリアルな付き合いをいったんリセットさせた感があります。いちだんと「人づきあいは面倒くさい」と感じる人は増えるでしょう。なぜなら、リアルな人間関係とコミュニケーションは、SNS上でのデジタルな付き合いよりもはるかに複雑であり、感情的であり、不安や怒りを呼び起こしやすいものです。

コロナ禍はリアルな人間関係にも大きな被害をもたらしました。新しい出会いにより慎重になる人は増えると容易に想像できます。これまでの人間関係も再構築を迫られるかもしれません。コロナ終息後のリアルな人づきあいの復活は、まず孤独のリハビリから入らなければならないという人は少なくないでしょう。

やがて渋谷のハロウィン・パレードは復活します。過去にないほどの規模になるかもしれない。しかしそれは孤独感を抱いた人々の「群れ」として、これまでにない空気を漂わせているはずです。

第六章

「見られたい」という欲望

祭り化した現代はひどく騒々《そうぞう》しく、そして浅はかな空気に満ちているように感じます。

祭りの対局には沈黙《ちんもく》があります。

静寂《せいじゃく》のなかの孤独は想像や思考を生み出す手がかりを与えてくれるのですが、
現代人はそれをすっかり忘れてしまったかのように浮かれています。

日本の成功体験としてのオリンピック

新型コロナの爆発的な流行で、世の中の空気がすっかり変わりました。多くの人たちはひたすら寡黙《かもく》をつらぬき、ともかく生きのびようと、毎日がまんを重ねて暮らしています。

かつて街はにぎわいをみせ、社会全体に躍動感が満ちていた、そんな時代がありました。一九六四年に開催された東京オリンピックは、戦後復興のあかしでした。二一世紀になった今も、日本の成功体験としてのこの大会を、どこかすがりつくように懐古《かいこ》する人たちがいます。スマホ時代に育った若い世代にとっては、その思い入れは理解できないことでしょう。

人と人とのつながりが仮想のネット上で展開される今、大勢の人々がリアルに集う巨大イベントは、どんな意味を持つのでしょうか。そして二一世紀のイベントのスタイルとは何か?

まずは一九六四年に東京で開催されたオリンピック・パラリンピックをふり返ってみます。その模様は、市川昆《こん》監督のドキュメンタリー映画『東京オリンピック』で見ることができます。

この作品の中で、私が一番印象に残っている競技はマラソンです。エチオピアのアベベ・ビキラ選手が下馬評通り優勝しましたが、レースを映しだしたあるシーンには感嘆させられました。

……カメラは独走するアベベ選手を真横から併走しながらとらえています。上下動の少ない完璧で優雅な走り。無表情にただ黙々と走る彼の横顔は、とても理知的な雰囲気を漂わせている。アベベ選手を「走る哲学者」とも評しました。その姿を見ればただちに納得できます。彼の意識には、自分を執拗《しつよう》に追いかけるカメラも沿道の観衆もないようです。マラソンレースに参加していることさえ忘れているのかもしれない。彼はただひたすら孤独に、何か深い思考の中にはまりこんでいるかのようです。

このレースで三位に入賞して、銅メダルをとったのが日本の円谷《つぶらや》幸吉《こうきち》選手です。彼は国立競技場にアベベ選手につぐ二位で戻ってきましたが、すぐ後ろを走る英国のヒートリー選手のラストスパートに負けてしまいます。円谷選手が抜き去られようとした瞬間、競技場の観客席から悲鳴にも似た声援が起こりました。おそらく茶の間のテレビの前も同じだったでしょう。

結局、円谷は三位となったのですが、ゴールした直後の彼はまるで失神状態で、係員に抱きかかえられてコースの外へと連れだされました。そのとき小学三年生だった私には、彼がそのまま死んでしまうのではないかとさえ思えました。

しかし円谷選手は復活し次のオリンピックを目ざして、すぐに練習を開始します。彼が亡くなったのはその四年後、メキシコシティ大会直前のことです。「幸吉は、もうすっかり疲れ切ってしまって走れません」という遺書を残した自死でした。

新聞記事でそのニュースを知ったとき、私は信じられないほどショックを受けました。ほんとうは死ぬほど辛《つら》い思いをしながら走っていたのだと分かったからです。

あの日、国立競技場で声援を送った日本人、そしてテレビの前で拍手した私たちの思いが、彼を死に追いやったかのようにも感じたのでした。

私にとってマラソン選手とは、円谷幸吉のように命がけで走る人のことでした。マラソンとは、たった一人で挑む孤独で孤立無援の競技であり、特別な才能を持つ人だけが参加できる過酷なスポーツ。この競技に対する特別なイメージは、今でも変わっていません。私はときどき一〇キロ程度のランニングを健康のためにやります。しかし、四二キロあまりにも及ぶフルマラソンに挑戦しようなどとは、夢にも思いません。

ネットで祭り化した市民マラソン

ところが最近のマラソンに対する人々の見方はまるで違います。それは特権的なエリートのスポーツではなく、地道にトレーニングをつめば一般の市民でも参加できる競技、というよりイベント＝祭りになりました。日本の公認マラソンコースでは一年間に七〇以上の大会が開かれていて、完走した人だけで三〇万人を超え、今や市民マラソンという言葉がすっかり定着しています。

どの大会も大勢のランナーが走ります。東京マラソンはその代表例で、約三万八〇〇〇人（一九年）が参加し、沿道の見物人は一〇〇万人を超えます。スタート時、都庁前の道路は埋めつくした参加者たちの熱気であふれています。まさにお祭りです。中には仮装したり着ぐるみを着た「コスプレ」ランナーも見受けられます。ランナーたちのエネルギーが一発の号砲で解き放たれる。その瞬間の高揚感はまさに祭りの開始そのものです。

私の知人は、いつも会社員風のコスプレで参加していました。ダークスーツにネクタイをなびかせながら、足下だけはランニングシューズで走るのですが、沿道から「会議に遅れるぞ！」「社長に抜かれるぞ！」といったジョークが飛ぶそうです。しかし最近では、参加希望者があまりに多くて抽選に漏れることも多くなったといいます。
仮装したり派手なメーク顔で走るランナーはどこの市民マラソン大会にも大勢います。色とりどりのトレーニングウエアや華やかで奇抜な仮装は、祭りとしてのマラソンに欠かせない要素です。

町興《おこ》しとしてスタートした地方のマラソン大会だと、給水ポイントに郷土の料理、スイーツや食材などをおいていて、ランナーはそれをつまみながらレースをしたり、沿道のボランティアとハイタッチしたりしてレースを楽しむ。グルメランなどという言い方もあるくらいです。市民マラソンでは沿道で応援する人々が、スマホやデジタルカメラを構えてシャッターチャンスをうかがっています。ランナーもまたスマホなどで撮影しながら走っている。なぜ市民マラソンがこれほど盛んになったのか、その理由の一端がここにあります。つまり参加することが、ネットに発信する材料をつくることになる。SNSやブログのために走るという人も多い。

一方で、トップランナーが競うレースは低迷していて、国際的に名が知られた大会のなかには幕を閉じてしまったものもあります。本来のマラソン競技が、祭り化する市民マラソンの勢いにのまれてしまったかっこうです。六四年の東京オリンピック当時のマラソンは素人にはとても近寄りがたい存在でしたが、今ではスマホを片手に走るカジュアルな、お祭り的スポーツになりました。

社会は祭りで成りたっている

気がつけば、私たちの日常は祭りでいっぱいです。それらはすべてネットによって駆動されているともいえます。

コロナ禍でいったん消えてしまいましたが、AKB48などアイドルグループの握手会には数万人の若者が集まりました。その日のネット上には握手会にまつわる膨大な数の画像やメッセージがあふれます。首都圏を中心に開催される同人誌販売会であるコミケ（コミックマーケット）は、最大で三日間に五〇万人が集ったといわれています。これに合わせてコスプレ姿の若者の画像や映像などが、ネット上にあふれました。コミックという紙の表現でありながら、この祭りにもネットは欠かせないメディアです。

「食」の祭り化にもネットが貢献しています。B級グルメ大会のような食のイベントはもとより、新店の開店日や評判店への行列風景、店内に入ると今度は料理写真と、すべてがネット掲載の素材となります。人によっては「食べる」ために行くのではなく、SNSのための素材探しに店に足を運ぶ人もいるほどです。家庭での手料理もネットにアップされます。そういえば、ネットにアップするために見栄《みば》えのいい料理をつくるという女性がいました。これも日常食の祭り化といえるでしょう。

鉄道はもともとマニアが多いジャンルの一つでしたが、ネットが一般化してからはさらにファンが増えて、ことあるごとに駅のプラットホームに線路脇にと人々が押しよせます。新幹線開通の一番列車、あるいは廃止になるブルートレインのラストラン。こんな特別な列車ばかりでなく、休日ともなれば全国の撮影スポットに人だかりができる。そしてネットにその画像が大量にアップされる。SNSには鉄道マニアのサークルがたくさんあります。

世界遺産はどうでしょう。これもやはり祭り化の対象です。むしろ祭り化＝観光化のために世界遺産は存在するといってもいいくらいで、世界遺産に認められると、たちまち大勢の観光客が訪れます。ネットでもテレビでも新しく認定された世界遺産が話題の中心になりますが、やがて落ち着きを取り戻す。なかにはすぐに寂れていく場所もあります。この一瞬の高揚、一時のにぎわいは祭りそのものです。

　そのほかにも、市や町が音頭《おんど》をとって行うギネスブック世界一を目指すイベントというのもよくあります。これにはゆるキャラが参加するのが常です。ゆるキャラの人気は地方自治体による祭り化の象徴といえるかもしれません。

　夏になると全国各地で開催される花火大会も祭りの一つです。その数はゆうに一〇〇〇カ所を超えるといい、大規模なものでは数十万人が見物に訪れます。彼らの多くが打ち上がった花火を撮影し、動画や画像としてネットにアップします。

　年末に各地の街頭を飾るイルミネーションも、花火大会同様にネットに掲載されます。同じころ行われるベートーベン「第九」のコンサートも恒例の「祭り」です。こちらは最盛期で全国、一〇〇カ所近くで開催されました。本場のドイツではほとんど行われていないということを考えると、きわめて奇異な現象です。五〇万人の人出があるという浅草のサンバカーニバルといい、海外の「ネタ」が日本ではたちまち大人気の祭りとなってしまいます。さらに大晦日《おおみそか》にはカウントダウンもあります。こちらも海外発ですが、すっかり恒例化しました。

　学校教育でも祭り化が進行しています。体育祭、学園祭といったかねてから行われている行事に加えて、ダンスが授業に導入されました。私はこれを教育の「よさこい」化と呼んでいます。ダンスはネットと親和性が高い。見栄えのする動画になります。この教育のよさこい化を象徴するように、小学生、中学生、高校生が出場するダンスの全国大会がいくつも開催されています。

さらに最近目につくのは、〇〇甲子園と銘打った文科系の大会です。たとえば高校だけに限っても映画甲子園、短歌甲子園、俳句甲子園、書道パフォーマンス甲子園など目白押しとなっています。

歩行者が観光の目玉になる

祭り化は街そのものにもおよんでいます。東京・原宿の竹下通りは毎日が祭りです。とても混雑していて、明治通りまで行くには表参道を通ったほうが早いのですが、社会観察だと思って機会があれば通りぬけるようにしています。

ひと言で表現すると、竹下通りは少女たちが占拠する異次元の祭り空間です。アジアやヨーロッパからやってきた少女たちの姿も目につきます。それぞれが「かわいい」をキーワードにしたファッションに身を包み、アニメやゲームのキャラクターを模したようなコスチュームを着ている子もいる。見知らぬ同士でも、たがいに写真を撮りあうのがここの流儀で、もちろんそれは私たちが考えるような記念写真ではなく、ネットにアップするための材料なのです。

もう一つ、祭り空間といえる場所が渋谷スクランブル交差点です。

ちょうどハチ公前広場の斜め向かいにあるＱＦＲＯＮＴというビルの二階に、スターバックスが入っていますが、ハチ公を背にして立つと、ガラス窓の向こうに客たちの姿が横一列に連なってみえます。たいてい観光客らしく、交差点を見下ろしながらコーヒーを飲んだりスマホで写真を撮ったりしている。その長いカウンターテーブルは、ガラス越しにスクランブル交差点を見下ろすことができる場所として海外にも知れわたりました。

さらにもう一つ、交差点を見物できる場所が、ＪＲ渋谷駅と京王井の頭線渋谷駅を結ぶ大きな渡り廊下で、ガラス越しに交差点を眺める人たちでいっぱいです。さらに近くのホテルなどは館内のカフェをわざわざ改装して、交差点が見える席を用意しました。

それにしてもなぜこの場所が、観光するに値する場所なのか。それはいうまでもなく世界で一番歩行者の多いスクランブル交差点だからです。最多では一回の青信号で三〇〇〇人が渡る。こうしたスクランブル交差点は世界にも例がない。もちろんこれは、ハロウィンやサッカーワールドカップ日本戦終了時に押しよせる群衆の数ではなくて、ふつうの日の数字です。一日では平日に四〇万人、休日は六〇万人ともなるそうです。

これだけの人が一回の青信号、五〇秒足らずにもかかわらず、最長で約三六メートルを渡りきる。人々が交差しながら、中には自転車で通る者もいますが、すべて渡りきってしまうところが、海外から来た観光客には見物に値するアクロバティックな集団行動に映るといいます。

広告トラックも祭り化の要素

またここは、ビルの壁面に設置された巨大ディスプレーによる動画広告でも有名な場所です。昼夜を問わず、ビルの壁のあちこちでは、さまざまな映像が光り輝き、音楽やメッセージ音が流れだす。それはさながら一九八二年の映画『ブレードランナー』(リドリー・スコット監督)で描かれた近未来をイメージさせる街角風景です。海外からやってきた人は、テーマパークを訪れたかのような感覚に陥るかもしれません。

さらにそこで非日常的な空気を演出するのが広告トラック。実はここは東京でもっとも広告トラックの出没率が高い場所の一つなのです。

広告トラックとは通称、アドトラ（アドバーティスメント・トラック）と呼ばれていて、改造した荷台部分に広告を掲示し繁華街を走行する広告宣伝車のことです。電飾に彩《いろど》られた視覚的な華やかさとともに、内蔵されたスピーカーで流される音楽によって、アドトラはこの交差点を華やかな祭り空間に仕立てる重要なアイテムとなっています。

以前、アドトラ・ドライバーに話をきいたことがあります。街で目立つ存在でありながら、中身はいったいどんな仕事なのか、たいへん気になって調べてみましたが、ネットではほとんど何も分からず、運行会社に問い合わせても答えはなく、そこで実際に街を走っている車のドライバーに話をきくことにしました。

赤信号で停車中のトラックに声をかけて、ようやく後日、取材にこぎつけました。中身は驚くような話の連続で、とても興味深いものでした。ちょいと見には、アドトラは適当に街を走っているように見えますが、実に計画的な展示（この業界ではそう呼びます）走行が行われているのです。

たとえばその日の展示が、あるロックバンドのＣＤだとします。当日開催される武道館でのコンサートの観客層が、そのＣＤの購買層と共通する場合は、開演前、終演後の時間を狙って会場のある九段の街を周回する。また、ネット関連の会社や商品の広告だと秋葉原を中心にまわる、あるいは風俗の募集広告だと新宿歌舞伎町近辺というように、ルートも細かく設定されている。ネットや仲間からのメールなどでつかんだ渋滞情報はアドトラにはとても重要で、ふつうの車と違って渋滞こそ本領発揮の機会。人通りの多い場所での滞留時間が長いというのは、それだけ広告展示に有利ということなのです。またクラクションはよほどの危険がないかぎり鳴らさない。たとえ赤信号で歩行者が横断していたとしても。広告のイメージダウンになるからだといいます。アドトラは一定のルールに基づいて、あらかじめプログラムされたルートを忠実に再現しているわけです。

あるドライバーはアイドルグループ「嵐」の展示走行をしていたとき、赤信号で停車中にファンらしき女性から、弁当を差し入れられるというようなハプニングもあったそうです。

現在、広告宣伝はネットが中心になっています。テレビの放送、新聞、雑誌がそれに続きますが、アドトラはさしずめ「走る看板」といえます。いわば広告の原点。最も古いタイプの宣伝方法ですが、そのアドトラが展示するものにスマホのアプリの宣伝が多いというのは興味深い事実です。

アドトラは歩行者に向けた宣伝を目的としていますが、その一方でテレビ画面に露出することも目指しています。テレビ局は街頭に複数のカメラを設置していて、ニュース番組、天気予報の前後に、街の様子を数秒だけ流すということをくり返しています。その映像にアドトラに展示されている広告が映りこむようにすると、宣伝効果が一気に上がるというわけです。

もっとも評価が高かったのは、かつて昼の長寿番組として有名だったフジテレビ『笑っていいとも!』。オープニングの数秒前、新宿のスタジオアルタの前に陣取ったファンの姿が画面に流れる。同時に背景の交差点も画面に映りこむ。ちょうどそこにアドトラを停車させると、展示された広告も視聴者の目にとびこんでくる。一瞬にして全国にテレビ広告をうったような効果があるというわけです。

ドライバーはそれを狙って走るのですが、基準になるのはアルタ前にある信号の三つ東側にあたる新宿三丁目交差点です。そこを通過する、まさにそのタイミングが重要になってきます。アドトラのドライバーによると、右折を示す矢印信号が消える直前に明治通りを右折して新宿通りに入ると、渋滞などないかぎりアルタ前に停車できる確率がきわめて高く、絶好のタイミングで新宿三丁目の交差点に入るように、できるかぎり事前にスピード調整するといいます。

渋谷の交差点がアドトラの出没率が高いのも、やはりテレビへの露出機会が多いというのが理由です。渋谷のスクランブル交差点はテレビ画面でもっともよく見かける街角風景ですから、当然でしょう。さらにここは流行に敏感な若者が好むエリアですから、彼らをターゲットにした広告は、この街を中心に走行するわけです。

一見、行き当たりばったりに走っているように見えるアドトラも、ビル壁面の広告ディスプレーがプログラムにそった上映を行っているように、街頭にきわめて規則的な秩序を与えているのです。街角のこうした視覚的、聴覚的なお膳立ては、まるで映画のセットのように計算された風景を作りだします。そこに人々の秩序だった「集団歩行」が加わり祭りとなる。渋谷スクランブル交差点の祭り化のキーワードは「秩序」です。

だから、祭りを見にくる人の期待を裏切ることはない。秩序だった祭り空間は、いつそこを訪れても人々が期待する風景を見せてくれます。

渋谷スクランブル交差点の祭りの特徴は、それを遠見から撮影しネットにアップするいわば祭りの観客が、みずからその被写体となるべく通りを渡る歩行者になるということです。祭りの出演者と観客とが渾然一体となっている。これこそスマホ時代の祭りといえるでしょう。

盆踊りは仏教行事だった

スクランブル交差点や竹下通りには、現代の祭りに特有の「見る人」がまた「見られる人」でもあるという二重の視線が交錯しますが、これがスマホ時代特有の現象だとすると、では、それ以前の伝統的な祭りと参加者はどんな関係にあったのでしょうか。

柳田国男《やなぎたくにお》の『日本の祭』によると、古来マツリと呼ばれていたものは、神事であり宗教的行為そのものだったということです。しかしそれがしだいに変化していく。柳田は同書で、

「日本の祭の最も重要な一つの変わり目は何だったか。一言でいうと見物と称する群の発生、すなわち祭の参加者の中に、信仰を共にせざる人々、いわばただ審美的な立場から、この行事を観望する者の現《あら》われたことであろう。それが都会の生活を華やかにもすれば、我々の幼い日の記念を楽しくもしたと共に……祭はただながめるものと、考えるような気風をも養ったのである」と、述べています。

そこに参加している人だけのものであった神事としての祭りに、「ただながめるもの」と考える人々が加わる。祭りに「観客」が誕生したのです。

鎌倉仏教の一派に、一遍《いっぺん》がはじめた時宗《じしゅう》という宗派があります。時宗で有名だったのが踊り念仏です。念仏を唱えながら踊るのですが、『一遍上人《しょうにん》絵伝』には、興味深い光景が描かれています。

材木で組まれた粗末な高床式の舞台で、大勢の僧侶たちが足を踏みならしながら踊り念仏に興じている。その絵をよく見ると、足の動きは揃《そろ》っているようで、きっとドスン、ドスンという大きな音がリズミカルに響いていたことでしょう。中には小太鼓をもった僧侶もいます。この絵で注目すべきは、舞台を取り囲むように大勢の民衆が集まっているところです。みんな舞台を見あげながら鑑賞している図が描かれています。何台もの牛車《ぎっしゃ》が停《と》まっているところをみると、きっと観客の中には公家《くげ》もいたのでしょう。

この踊り念仏こそ、盆踊りの元祖だといわれています。盆踊りの源流は仏教だったのですが、鎌倉時代にはすでに念仏を唱え踊ることが、観客に見せるものになっていたのです。

本来、そこにいる者によってのみとり行われる神事、仏事としての祭りが、見せる、見るという「視線」の場となったのはこのときからです。祭りに「観客が誕生」したわけですが、現代の祭りの視線はさらに変化しています。すぐにその動画や写真を撮影しネットにアップすることができるスマホによって、見せる側、見る側という境界はなくなりました。渋谷のハロウィンでは、コスプレに身を包む祭りの「参加者」が、同時にたがいの観客になり、スマホでパレードを撮影する発信者になる。簡単に撮影ができ、そのままネットに接続できるスマホをみんなが身につけることで、観客と演技者、映像の送り手と受け手という壁が取りはらわれたのです。

かつてのケータイ小説も祭りだった

コミケは自分の作品を持ちより販売する人、コスプレを見せにくる人、作品を求めてやってくる人という明確な区別はありません。作品を見せる人が、他人の作品を見る人、買う人に変わったり、コスプレを見せる人が、他人のコスプレを見る人、撮る人に変わる。つまりは全員が参加者です。

ひと昔まえ、ケータイに毎日短い文章で小説を連載する「ケータイ小説」が話題になりました。人気の作品は単行本化されて一〇〇万人以上の読者（大半は若い女性）を獲得。〇七年に文芸書の売り上げ上位三冊を独占しました。社会現象となったこの小説群を現代の祭りとしてみれば、人気の秘密が明らかになります。

実はケータイ小説は小説のようにみえながら、それ自体で終了する文学作品ではなく、祭りの素材にすぎなかったのです。ケータイ小説というジャンルそのものが祭りという現象でした。

もう少し説明しましょう。ケータイ小説では読み手が書き手でもあるという例の視線の二重の構図が成立していました。自分の作品をケータイで発表しつつ、だれかの作品に目を通し「感動しました。私の○○○も読んでください」と感想を送る。これが参加者の日課となる。こうした作業ができるのも、作品がケータイ画面に収まる程度の短いものだったからですが、そこに参加意識が生まれたのは間違いありません。

ケータイのネット上で有名になった一部の作品が単行本になり大ヒットしたのは、紙の本が祭りを実感できる具体的なモノだったからです。最初は一人一人の端末画面に収まるだけの単独の表現が、やがて社会に注目されるほど大規模で華やかな話題になっていった。静かな興奮状態の中で、彼女たちはすでにケータイで見て中身を知っている本をわざわざ買い求めるため、コンビニの書籍コーナーに走ったのです。それは祭りの掉尾《ちょうび》を飾るセレモニーであり記念品でした。

ケータイ小説がケータイというメディアを舞台にした祭りだとすれば、それはユーザーが自立的に集まってみんなで作りあげたものです。ハロウィンがスマホを通して自発的に集まった若者たちの祭りであるのとよく似ています。

このようにネットを利用して多くの人がつながって祭り化が発生する現象は、さまざまな分野で起こっています。

二〇年、コロナ感染防止で自宅にこもる人を励ます目的で、ミュージシャンで俳優の星野源さんは『うちで踊ろう』というオリジナル曲をネットで配信しました。のちに音源を無料で配信したために、さまざまなSNS上で多くの人とのコラボレーションが生まれました。これもネットがなければ生まれなかった現象です。最近ではオンラインで多くの人が楽曲を共同製作するアプリを利用する人も出てきました。

今後も音、映像、言葉によるさまざまな表現が、ネットを経由して生まれることになるでしょう。

この章ではコロナ禍ですっかり消えてしまった「祭り」について考えてみました。コロナ後には、またかつてのように街ににぎわいがもどるのでしょうか。ただ一つはっきりしているのは、リアルな群れとともに、ネットで見知らぬ者同士がつながる、そんなオンラインの群衆がごく一般的になるだろうということです。

そこに私はどう参加するのか、参加できるのか、あるいは無関係に生きるのか、考えどころです。

第七章

ネット動画との付き合い方

赤ん坊や猫のほのぼのとした動画を
目にしたあとに、人が殺害される残酷《ざんこく》な
動画がとびこんでくる。
それがネット動画の世界です。

子どもに大人に、ネットは相手を選ばず
手を伸ばしてきて、
心をわしづかみにするのです。

子どもでも動画を世界に発信できる

モデレーターという職種があります。動画サイトを運営する会社で、投稿される動画を閲覧して、児童ポルノや残酷シーンが含まれる作品を削除するのが仕事です。一日中、そんな不快なシーンを見続けたせいで鬱《うつ》病になる人も多く、会社では心理カウンセラーを雇い対応にあたっていますが、たいていは一、二年で仕事をやめてしまうそうです。ある大手の動画サイトでは一日に数万件の削除を行っているといいます。

ここで少し時間をさかのぼってみましょう。二〇一五年一月に一つの動画が公開されました。湯川遥菜《ゆかわはるな》さんと後藤健二《けんじ》さんがＩＳ（イラク・シリアの「イスラム国」）と称する武装集団に殺害された事件です。ネット上に公開されたその動画は、今も私の記憶に焼きついています。

画面の中で二人は、地面に膝を折りナイフを突きつけられていました。草木一つない赤茶けた荒れ地の向こうには、腹立たしささえ覚えるほどの美しい青空が広がっている。捕らえられた二人の顔は、こわばり表情が読みとれない。太陽の方角に向かって跪《ひざまず》かされた彼らは、逆光がひどくまばゆかったに違いない。そのしかめ面《つら》こそ、彼らがまだそこで生きているという、あかしにみえる。しかしそれでも、これが現実に起こっていることだとは、にわかに確信がもてない。あまりにも画面が鮮明すぎる。全体がどこか作り物めいて見えたのです。

その後、湯川さん、後藤さんの殺害動画がネット上で公開されました。さらに、ヨルダン軍パイロットが火で焼かれ殺されるという酷《ひど》い映像も投稿されました。たて続けに見せられた残酷な殺害場面に、人間はこうした救いがたい暴力性をいまだ克服できないでいるのだということを、私たちは思い知らされたわけです。

ここでネット動画という視点にしぼっていくつかの事件をふりかえってみましょう。

〇四年、イラク日本人青年殺害事件が起こりました。この事件では、犯行直前の映像が公開されました。その動画は市販のムービーカメラで撮られたクオリティの悪いものでした。しかし一五年に公開されたＩＳの日本人殺害動画は、ハイビジョンカメラで撮られたものだと思われます。場所も薄暗い室内ではなく、屋外の自然光の中で撮影されていて画像は鮮明であり、五〇インチのテレビ画面での視聴にも十分に耐えられるものです。さらに同時期に捕虜となったヨルダン兵士の殺害映像にいたっては、芝居がかった演出がほどこされ、なおいっそうその残虐さが強調されていました。

こうした画質の鮮明化や演出が視聴者に与える効果は大きいものがあります。映像が自分に向けられた攻撃のように感じ恐怖を覚える人もいれば、嫌悪から動画を止めてしまう人もいるでしょう。憤りからすべてのイスラム教徒に対して見境のない敵対意識をもつ者もいるし、ＩＳに同調する者も出てくるかもしれない。いずれにしても、見る者の気持ちをダイレクトに揺さぶる力がこれらの動画にはある。

このことは画質の優れた映画やテレビドラマのアクションシーンがもつインパクトを、ネット動画も獲得しつつあるということを示しています。今では小学生でも、手持ちのスマホで高画質の動画を世界中に配信できるようになりました。

必要なスマホについての教育がない学校

ネットというのはそもそもがディスタンス・ゼロのメディアです。シリアの砂漠地帯と東京の距離はネットではゼロとなる。残忍な殺害映像を一つの攻撃とみなせば、それは距離という壁を越えて国家や軍の関与を許さずに、たちどころに相手陣内にいる一人一人のユーザーの心に打ちこむことができる。ネット画像というのは、きわめて有効な心理戦の武器となります。

ＩＳが投稿した殺害映像をめぐっては、テレビなどで多くの分析的な言辞が飛びかいましたが、その中でほとんどふれられなかったことがありました。ＩＳはこの画像を、「敵」にだけ見せようとしているのではないということです。支配地域の人々、さらには「敵国」に身をおく彼らにシンパシーを抱く人々、そして何よりもＩＳ構成員も、この映像を見ることができた。敵に見せるだけでなく、味方にも見せていたのです。ネットにいったん発信された映像は、受け手を選別することができません。

ある小学校の先生があの斬首される直前の動画を児童に見せて、ネットと画像について考えさせようとした授業を、学校がただちに全面否定するということがありました。私は残虐動画を見ることを強制するのは間違っていると思います。しかし、非倫理的で反社会的なネットのメッセージと子どもたちがどのように向き合うかは、社会全体で考えていかなければならない。封印すればいいという問題ではない。すでに日本でも少なくない児童があの残虐映像を目にしているし、アメリカのＦＯＸテレビでは、斬首された残虐映像を全米に向けて流したのですから。

当時、小学生はあくまで動画の受け手でした。しかし今では、普通の小学生がさまざまな動画をサイトに投稿し、多くの人々がそれを目にするようになりました。子どもにどんな画像を「見せていいか」が問題ではなく、どんな動画なら「つくって発信していいか」に、すでに問題は移ってきているのです。しかし、教育の現実はまだ一〇年前のまま止まっている。遅れているのです。

投稿動画が過激化するのは宿命

動画や画像は前後の文脈を切り取られ、編集され断片化されます。私たちが受けとるのは「事実」のほんの一部にすぎない。それが刺激しようとしているのは人の思考や知性ではなく、もっぱら受け手の感情です。だから動画内容もイメージ重視となる。

ＩＳがばらまいた動画では、被害者はオレンジ色の囚人服を着せられ、人間としての個性をはぎ取られています。彼らにも家族や友人がいて、その肉体に人間的な感情が流れているということが演出によって消し去られる。個を奪い取るという行為には、すでに殺人の第一歩が記されているといっていいのです。

私が気になった画像に、湯川遥菜さんが小銃を構えて立っている場面がありました。それを見て最初に連想したのは、ケネディ元米国大統領の暗殺犯とされたリー・ハーヴェイ・オズワルドがライフル銃を構えたポートレートです。犯行があった五〇年ほど前、くり返しメディアで流されて、彼が好戦的で冷徹な殺人者であるというイメージをつくりあげました。湯川さんが銃を構えた写真も、一定の先入観を見る者に植えつけたのではないか。前後の文脈も分からず、また本人の心情も分からない画像は安易に流されるべきではなかったと思います。

ネット動画がもつ特性の一つに、表現のエスカレーションがあります。ネットでは中東のテログループのプロパガンダ動画も、アルバイトが店内で起こす悪戯《いたずら》も、またペットのかわいらしい映像も、すべて「平等」に流れます。それを選び出して見るのはネットユーザーの側です。

つまりネット動画はユーザーに選択権がある。メッセージをユーザーに選んで見てもらうためには、見慣れたシーンやありきたりの内容ではダメ。そこでネット動画は勢い内容がエスカレートしていきます。

一時期、アルバイトで働く若者たちが職場の店舗などで、おもしろ半分にふざけて、食洗機や業務用の大型冷蔵庫に寝そべったり、それを画像としてネットにアップするということが頻発し、「バイトテロ」と称して社会問題化しました。コロナ禍の現在でもバイトテロは続いています。ネットの仲間内で目立とうと、カメラに向けたアクションがエスカレートしていったのです。

フェイクニュースの裏を探れ

投稿動画の中には高い鉄塔やビルの屋上で逆立ちをして見せたり、数十メートルの岩場から海にダイブするといった危険なシーンを撮影したものもあります。実際にそうしたシーンを撮影中に落下した事故で亡くなる若者もいます。

動画を投稿する者は、その内容が新奇で目立つ「作品」を作ろうとします。中には競い合うように過激な悪戯《いたずら》画像をつくりSNSで流す者も出てくる。通り一遍の悪戯くらいでは注目されない。SNSに流すメッセージの大半は、他者からの注目を集めることが目的だから、内容はどこにもないような新鮮なものでなければならない。それには表現を過激にすることが一番手っ取り早いともいえます。今後もモデレーターという仕事はなくなることはないでしょう。

ＩＳのプロパガンダ動画も、こうしたネットがもっている表現のエスカレーションと無関係ではない。シリアから数千キロはなれた街の片隅で、鬱積した思いを抱えた若者がいるとする。彼は新聞はもちろんテレビさえ見ることなく、外からの情報はネットに頼っている。そもそもイスラム教にも中東における戦争にも興味はない。しかしある日、ＩＳによる殺害動画を目にする。見飽きたありきたりの動画のなかでは「新鮮」で刺激的だったからです。それから彼はスマホのＩＳのリクルート・サイトにたどり着く……。

世界は反知性主義的傾向が強くなっています。若い世代になるほど新聞、雑誌、本はもちろんテレビも見なくなっています。既成のマスコミを「マスゴミ」として嫌悪する者もいます。毎日膨大な数の記事や情報が発信されている新聞、テレビ、雑誌などをすべていっしょくたにしてゴミだと切り捨てる見方は、思考の停止です。一部のネットユーザーの情報世界は、無思考的に閉ざされた歪《ゆが》んだものになっています。ＩＳのようなＳＮＳを巧みに活用する武装勢力のプロパガンダと若者の意識が結ばれるのは、まさにそうした無思考性の結果です。

最近ではさまざまなフェイクニュースが出回るようになってきました。前回一六年のアメリカ大統領選では、海外発信のさまざまなフェイクニュースがつくられて、実際の投票行動に大きな影響を与えたといわれています。二〇年の選挙ではバイデン氏が当選しましたが、米国には今でもあの選挙は不正で、実際はトランプ氏の圧勝だったと信じている人が多くいるといいます。

日本でも荒唐無稽《こうとうむけい》な「〇〇大統領が日本にやってきて井戸に毒を入れた」というようなフェイクが流れ、それを信じた人もいたそうです。私はこうした政治性をはらむフェイクニュースの一部には、たんに愉快犯的な動機ではなく、一つの政治勢力や海外の国家権力の政治的意図を持ったものも含まれると考えています。

それを見極めるには、そのフェイクニュースが回りまわって誰のどこの勢力の利益になるかを考える必要があると思います。

フェイク動画を打ち破るのは書き言葉

ここでネット動画がはらむ危険性についてまとめてみましょう。

ネット動画はユーザー主導型のメディアです。あくまで選択権はユーザーにあります。

ネット上には無限ともいえる数の動画がある。ゆえに内容は、テレビや映画の映像よりも刺激的で過激になる。それを阻むような規制の枠は、ないに等しいのです。

そして中身は知性ではなく感情に訴えかけ、見る者を引きこむ。イスラム教徒とＩＳを同一視し、モスクへ嫌がらせの電話をかけるような行為はそこから生まれます。

ネット動画のヘビーユーザーはおおむね情報をネットのみから受け入れていて、その内面世界はネットによって完結している場合が少なくない。ここに確証バイアスという、いわば「信じたい話だけを信じ受け入れる」という力が働きます。ネットは確証バイアスがもっとも働きやすいメディアです。

それに対抗できるのは言葉だと思います。アメリカでフェイクニュースが氾濫した背景には、全米の地方新聞が壊滅しつつある状況がありました。新聞、テレビ、本というメディアから言葉を受けとり、複眼的な思考をもとうとする姿勢が人々の間にいつしかなくなっていたのです。

そんな状況を打開するためにどんな方法があるのでしょうか。後藤さんが監禁されていたとされる最中、ネットには「アイ・アム・ケンジ」と記されたメッセージボードを掲げる人々があふれました。これが命を救うことには結びつかなかったのですが、それでも残酷な動画によるプロパガンダへの一つの対抗手段としては、もっとも有効な方法だったと思います。

一方、後藤さんの妻が一縷《いちる》の望みをたくして発表したメッセージは、どこに正義があるのかということを冷静で真摯な言葉によって明らかにしました。

「……私たち夫婦には、二人の幼い娘がいます。私たちの娘は健二が日本を離れたときには、わずか生後三週間でした。私は、二歳の上の娘が再び父親に会えることを望んでいます……私の夫は善良で、正直な人間です。苦しむ人々の困窮した様子を報じるためにシリアへ向かいました……家族、友人たち、健二の同僚に感謝しています。私の夫と、ヨルダン人パイロット、ムアーズ・アル・カサースバさんの無事を祈っています」

交渉のコマ、身代金《みのしろきん》の道具として扱われた後藤健二さんが、確固とした人格をそなえた生きた人間であるということは、動画を見ただけでは分かりません。それを明らかにしたのは妻の言葉でした。今後もＩＳによる支配地域での殺戮《さつりく》、戦闘、テロがどのように展開するかは分からない。しかし私たちはネット上の動画による反知性主義に翻弄されることを拒否しなければなりません。それに対抗できるのは、書き言葉による報道と地道な分析しかない。言葉の持つ力を信じたいと思うのです。

第八章

ネットが
人を委縮させる

かつてネットは世界を自由に、平等に
つくりかえるという神話がありました。

しかし熱狂はいつしか過ぎ去り、いま
監視されることの不安が頭をもたげています。

あなたがスマホを見ているのではなく、
スマホがあなたを覗《のぞ》いているのです。

肉声よりパワフルなLINEの言葉

若い世代の人たちにとってSNSは、すでに精神的な生存基盤となっています。SNSでいつも誰かとつながっているのがスタンダードな生活スタイル、というより生き方といってもいいのかもしれません。その代表格がLINEです。中高年の人たちも使っています。

二〇一六年、そのアプリを舞台にした、あるスキャンダルが注目を集めました。タレントのベッキーさんと、バンド「ゲスの極み乙女。」の川谷絵音《かわたにえのん》さんとの不倫が発覚したのです。芸能人の不倫騒動は珍しいものではなく、たいていはすぐに忘れられていきますが、この一件はかつてなく大きくなり、長くメディアにも取り上げられることになりました。ネット時代ならばこそ起こったスキャンダルとして、ここで少しふり返ってみましょう。

一因はLINEで、当事者たちが離婚届を「卒論」とちゃかした言い方をしたり、『週刊文春』の報道に対して、むしろ「ありがとう文春」と居直ったようなセリフを書きこんだことにあります。二人はLINE上で交わした「会話」が、他人に知られることなど思ってもみなかったでしょう。LINEは了解しあった相手や仲間とだけ言葉をやりとりするプライベートな場であり、閉じられた情報空間のはずでした。

　このスキャンダルでは当事者の生の声もテレビ放送されました。会見ではベッキーさんが謝罪の言葉を述べたのですが、騒動はおさまらなかった。ＬＩＮＥから流出したネットの文字情報が、本人のリアルな生の声に勝ったともいえます。

　テレビの映像には、登場している人物の言葉だけでなく表情や態度にも、視聴者の心象を変えてしまう強い力が備わっています。ベッキーさんは神妙な表情、謝罪の態度で反省の気持ちを伝えようとしました。しかし、ＬＩＮＥに書きこまれた数行の文字のほうがテレビ会見よりも多くの人にリアルに響いたのです。

　これは不思議な現象です。当事者の心の中を覗いたわけでもないのに、生の声よりも、ネット上のデジタルな文字の連なりに真実がある、と思ってしまう。生の言葉とＬＩＮＥの言葉のどちらに人の本心、真実があるのか、第三者の私たちにはほんとうは「分からない」はずなのに、なぜかネットのほうを信用してしまったのです。

　現代人は日常的にメールやＳＮＳ上で言葉を発信するようになりました。しかしすべてが本心であり、真実であるわけではありません。言葉の背後にある戸惑いや不安は表現されず、薄っぺらなショートセンテンスだけが流れることもあります。にもかかわらず画面に表示された文字は、発信者が確定したメッセージとして一〇〇パーセントの責任を背負わなければならない。

若い世代になるほど、紙に記された言葉よりも、ネット上の言葉を信用してしまう。たとえばＪＫ（女子高校生）散歩など少女買春の温床ともなっている危険なアルバイトに、多くの女子高生がはまっていくきっかけの一つにネットがあります。彼女たちはネットに全幅の信頼をおいています。たとえ風俗店の募集広告でも「ホームページがあるというだけで『ちゃんとしたお店なんだ』と信頼してしまう」（『女子高生の裏社会』仁藤夢乃《ゆめの》著）といいます。これは極端な例ではなく、現代の十代に共通する傾向です。だからこそネットのリテラシー（情報を活用する能力）教育の必要性が叫ばれるのです。

この不倫騒動が拡大した背景には、ＳＮＳ上に記された文字情報のインパクトがきわめて強力だったこと、そしてそれほど影響力の大きなＳＮＳにもかかわらず、言葉を守る安全装置が実にもろかったということがあります。

スマホは心おきなく私情をはき出せる場所ではなかった。そのプライベートな密室の壁は、いつの間にか簡単に取りはらわれてしまう。若者はそんな不安を抱えながらフリック入力をつづけているのかもしれません。ＳＮＳがはらむ危険性について社会が気がつく前に、すでにそれは日常に深く定着してしまったのです。

SNSは「私」を裸にする

なぜ、SNSではいとも簡単に情報が流出してしまうのでしょうか。答えはその成り立ちにあります。そもそもSNSはオープンであることを前提に成立した「開放性」を本質とするメディアです。開放的な特性をもっているがゆえに存在価値がある。だからユーザーはドアをオープンにして胸襟《きょうきん》を開き、多くの人とつながることを期待します。

「世界をよりオープンで、みんながつながりあえる所にする」

フェイスブックの創業者の一人、マーク・ザッカーバーグ氏のこの言葉が、SNSの開放性を象徴的に言い表しています。彼はあるテレビ・ドキュメンタリーで「私たちには秘密にすべきことは何もない、だからすべてオープンにしていい」という趣旨の発言もしています。

フェイスブックがたちまち世界中に広がったのは、本名を記して参加するという実名性があったからです。ザッカーバーグ氏はハーバード大学在学中に、同大学生だけが参加できるコミュニティサイトを設立。これが現在のフェイスブックのアイデアになっていますが、彼には好ましからざる前歴があります。コンピュータのセキュリティをハッキングで破り、学生の個人情報をかき集めたとして大学当局から処罰されているのです。そもそも個人の情報が公開されていれば、ハッキングをする必要などなかった、というのが彼の言い分でした。

ザッカーバーグ氏のこの姿勢は、近代社会が少しずつ築いてきた「個人のプライバシーは守られるもの」という思想を、真っ向から否定するものでした。プライバシーの尊重は時の権力者の圧政や差別に対抗するための思想であり、個人の自由や平等の礎《いしずえ》となる考え方です。専制国家ではない自由社会の、いわば根幹となるポリシーだといえます。

今でもネット上の個人情報の保護が問題になるとき、「私たちには秘密にすべきことはない」という主張が聞かれます。しかしそれは商業的、政治的専制社会の肯定につながるものです。

私たち個人は他人に知られたくないことを山ほど持っていますが、それらがすべて不正や不道徳なことだから秘密にしているわけではありません。たとえばあなたが以前、がんを患《わずら》ったことがあり、そのことを親しい人にSNS上で告げたとする。こうした話は同僚や隣人、転職先の上司には知られたくないことかもしれません。秘密にすること自体が不道徳なわけではないのです。私たちには病歴だけでなく交通違反歴、性的志向、年収、銀行の預金額、出生にまつわる事実など一般に公開したくないもの、秘密にしたいことがあります。人によっては過去の恋愛、家族関係も知られたくないかもしれないし、ストーカーに怯える人なら現住所も秘密にしたいでしょう。そんなたくさんの秘密を抱えているのがふつうの人間というものです。

しかしSNSは自分をオープンにすることを半ば強制するメディアです。頻繁に「自分」を発信することをせき立ててくる。それが多くの人とつながる有効な方法だからです。ユーチューブやインスタグラムなどのSNSで人気を博している発信者は、できるだけ自分をオープンに見せようとします。それがファンを獲得する最善のやり方だと分かっているからです。

私たちは日常的にネット上でいろいろな情報を発信していますが、それらはすべて他者に知られても心配ないものです。しかしバラバラに点在するその情報が誰かによって収集され体系的に統合されたとき、そこから思わぬ秘密が露呈することもあります。

たとえばあなたが転職を考えていて、ヘッドハンターの山川さんと会ったとします。そのことをあなたは友人の鈴木さんにＳＮＳで「山川という人と食事をしたフレンチレストランが良かった」と何気なく伝えた。鈴木さんはこのメッセージをそのままグルメの仲間にコピーして送る。こうしてメッセージは巡り、あなたの上司が知るところとなる。上司は山川さんがヘッドハンターだと知っていた……。

今も、人間関係の巡り合わせによって、こうしたことが偶発的に起こりうるのですが、ネット上で個人情報が統合されると、それとは次元が異なる恐ろしい事態を招きます。あなたにまつわるさまざまな情報が集められ、加えてネット上の第三者が発したあなたに関する情報もまたそれに連結される。すると、あなたもすでに忘れていたような言動や属性が、あなた以上に他者に把握されるということが起こってくるわけです。

『勝手に選別される世界』（マイケル・ファーティック＋デビッド・トンプソン著）によると、すでに米国ではネット上にある個人情報の統合を行うアルゴリズム（物事を効率的に行う手順）の開発が進んでいて、近々、個人情報は丸裸にされ、それを基に個人が常に他者から評価されつづける社会がくると警告しています。著者はそうしたことに詳しいビジネスの最前線にいる起業家ですから、説得力があります。

とはいっても、そこまでいかないうちに個人情報を守る規制がかかるはずだ。今も発信した情報は知らせたい人だけに届いているのだから心配はない、という反論もあるでしょう。しかし事態はそれほど甘くはありません。

冷めゆくネットユーザーの熱狂

一五年一二月、米国で起きたサンバーナーディーノ銃撃事件（カリフォルニア州で発生した銃乱射事件で一四人が死亡）の捜査のために、容疑者が使っていたｉＰｈｏｎｅのロックを解除するソフトを、製造元のアップル社が作るかどうかが大問題になりました。容疑者のｉＰｈｏｎｅにはロックがかかっていて、本人が設定したパスワードでないものを一〇回入力すると、データがすべて消えてしまう機能がある。ＦＢＩはこれを無効にするソフトを作るように要請しましたが、アップルは拒否しました。この姿勢にはアップルと敵対的な競争をくり広げてきたＩＴ業界も、一丸となって支持を表明。政府のロック解除要請を一度でも認めると、つぎつぎに同じようなケースで圧力がかかり、個人情報のセキュリティ機能が有名無実化するかもしれないし、他の独裁的国家からも同じような要請がくる可能性がある。だからアップルは拒否するのだという主張です。

もっともな言い分でしたが、私はそれを素直に受けとるわけにはいきません。二〇一三年に、米国国家安全保障局（ＮＳＡ）の個人情報収集にアップル、グーグル、フェイスブック、マイクロソフトなどが密《ひそ》かに協力していたということが、元ＣＩＡの職員だったエドワード・スノーデン氏による告発で明らかになっているからです。

彼のリークは国家の情報監視システムの根幹を揺るがすものであり、それがゆえに米国政府はスノーデンを許すわけもなく、彼は二一年の現在も渡航先のロシアから帰国できないでいます。

これまで権力による情報犯罪としてもっとも有名なものに、一九七二年のウォーターゲート事件があります。ニクソン大統領による民主党本部盗聴がワシントンポスト紙で暴かれたおかげで、大統領は退任に追いこまれました。調査した二人の記者はヒーローとなりましたが、一方のスノーデン氏は指名手配犯となって追われています。

スノーデン氏によって明らかにされた国家による一般市民の情報監視という事実は、ネットユーザーに大きな不信感をもたらしました。開放的で自由なネット空間の実現が、アップルやグーグルの企業理念だったはずですが、それは個人情報や発信されたメッセージの権力に対する守秘性が保たれるということが、前提でなければなりません。ところが裏でこれらの企業が国家に通じていて、利用者の情報が漏れていたというのだから、ユーザーが不信感を募らせるのも当然でしょう。

ジョブズの夢の失墜

かつてアップル社の製品には熱狂的な信者ともいえるファンがいました。iPhoneの新製品発表のたびに、世界各地では若者が徹夜で行列を作った。一方、グーグルは新しい理想郷、グーグル帝国を標榜《ひょうぼう》していて、実際に多くのユーザーがそれを信じていた。しかし今や、これらの企業が導く未来に希望の光を見いだすような天真爛漫《てんしんらんまん》なユーザーは多くありません。

アップルの共同創業者、故スティーブ・ジョブズに対するユーザーのイメージだけは別格のようです。彼は一一年に亡くなったあとも、コンピュータ社会の理想を追求した開拓者として今も信奉者が少なくない。亡くなってわずか五年以内に二本の伝記映画が作られたほか、彼に関連する本も翻訳されているだけでも数十冊になります。また禅の修行者であり、富豪でありながら着飾ることのないシンプルな生活を好む、まさに求道者というイメージでした。生き馬の目を抜くような苛烈なＩＴ業界に生きたビジネスパーソンという実像はあまり語られませんが、死後もネットビジネスのイメージアップに貢献しています。しかしジョブズがいかに祭り上げられようとも、かつて中東の民主化運動「アラブの春」を推進したころのような、ネットに対する人々の熱狂的な支持は薄れてしまいました。

サンバーナーディーノ事件後ほどなくして、犯人のｉＰｈｏｎｅのロックを米国司法省が独自のルートで解除したと報道がありました。ネットや情報機器のセキュリティが、いかに脆《もろ》いものであるのかということがあからさまになったわけです。最近では、ネットに対して距離を取り、その使用に慎重になるユーザーが増えています。ネットの市民監視システムは今も隠然とフル稼働《かどう》し、政府に見られていると感じる米国のユーザーは少なくない。アップルやグーグルは、自由で平等、既成の体制に縛られることなく個人の力が発揮できる、そんな理想社会を語ることはすでにできなくなっています。

あなたをスマホが覗いている

会社からの帰宅途中で立ち寄ったコンビニの購入記録が関連情報と瞬時に結びつき、たちまちあなたの実像にたどり着く。ワインよりも日本酒を好み、サプリメントを常用し、つい最近、フィットネスクラブ通いをやめて散歩に切り替えた理由は……。こんなふうに個人情報が丸裸にされるのを防御するのは、あなた一人の力では困難です。そうなる前に私たちは手を打たなければならない。

以前まで私は、自分の原稿をネット上のストレージ（保管庫）に記録していました。出先で、あるいは誰かのパソコンを使ってアクセスし、書き足していくこともできるからです。しかし今では原稿を書くのは、インターネットに接続していない専用のパソコンだけにしています。しかし結局、原稿は相手先にメールで送るので、そんな防御策も気休めにすぎないのですが。

かつてプライバシーというと、たいていは目に見える分かりやすいもので、日記帳の中や、書き終えた手紙、引き出しの中、個室という空間におさまる具体的なモノだった。しかしプライバシーが個人情報という言葉に置き換わった今、それは自分の手元にはなく、どこか知らないストレージにデータとして蓄積されています。いつなんどき見知らぬ者によって引きだされないともかぎらない。手元のスマホはあなたの望み通りに働く従順な道具ではありません。スマホがあなたをプロファイリングによって評価し、いつのまにか操っているということもありえます。

私はかつてエッセイ集『あなたがスマホを見ているとき、スマホもあなたを見ている』を書きました。

スマホの画面を覗いているあなたは同時に、知らない誰かによって覗かれている。私たちはそんな嫌な時代に突入していこうとしています。

第九章

紙の本が思考を鍛える

教養とは、世界を言葉で理解しようとする
姿勢そのものです。

いま、教養に代わって登場しているのが、
いわば「記録の利用術」というべきもの。

複雑で深遠な世界に対する構えが、
なんとも傲慢《ごうまん》なのです。

画面の言葉より紙の言葉に意味がある

家庭の中から本が消えようとしています。そればかりか、パソコンさえなくなろうとしている。最近の大学生は、入学するまでパソコンをあつかったことがない人が少なくないといいます。

知人の大学教授は「学生たちは文字を紙にプリントアウトするという発想そのものがない。教員室にタブレットだけを持参して、画面に映しだされた論文を私に見せて指導を受けようとする。彼らにとっての文字は液晶画面だけに存在するものになったようだ」と、ぼやいていました。

私は取材などで小学校の国語の先生に話を聞くことが多いのですが、今の小学生の中には、幼いころからスマホとタブレットをいじって成長してきたという子が多いといいます。彼らは紙に書かれた文字を読まない。読めない、といっていいかもしれない。これからは小中学校の教科書がデジタル化します。そうすると、ますます紙の文字を読めない子が増えそうです。

現代の子どもたちに、言葉と文字に関わる異変が起こっている。それが思考力にどんな影響を与えるのでしょうか？

まずは私が育った昭和の時代をふり返って、今との違いを確かめてみましょう。

昭和三〇年代から四〇年代にかけては、家の応接間にステレオセットと百科事典をずらりと並べた、そんな家庭が珍しくありませんでした。全巻で何十冊にもなる事典は「教養」の象徴で、ローンで購入した事典が洋酒とともに棚に鎮座していた。私の家で百科事典は、飾るだけの調度品と化していたのですが、家族の中で私だけはときどきページを開いてみては読みふけることがありました。家族で唯一の読者だったともいえます。

それから時がたち帰省したおりに棚をみると、無用の長物となった百科事典はすべて処分されていました。そのとき私は子ども時代への郷愁と一抹の寂しさを覚えました。成長期の少年にとっての百科事典は、少しおおげさにいえば、世界への好奇心を言葉によって開いてくれる「窓」のようなものでした。

現在、事典は電子化が進み、それらが家庭の本棚を飾ることはほとんどなくなりました。電子化＝デジタル化は辞書、事典ばかりでなくコミック、一般の書籍にまで広がっています。そのデジタル化した文字を読むのはスマホやタブレットです。

そしてついに、デジタル化は学校の教科書にまで及ぼうとしているのです。

文部科学省は現在、小中高校で使う教科書をデジタル化する方向に舵《かじ》をきりました。二〇一六年六月、有識者会議は二〇二〇年度から小中高校の授業の一部で、デジタル教科書を使うことを認める案を了承しました。現行制度では教科書は紙の本でなければならない。しかし本のデジタル化は世界の趨勢《すうせい》となっていて、教科書もその例外ではなくなった。

それにしても教科書がデジタル化されると、教室の風景はどのように変化するのでしょうか？ 生徒は一人に一台のタブレット端末を持たされます。その画面に表示される教科書では、文章だけでなく動画や音声も再現できます。英語の発音指導は教師ではなくタブレットになるでしょう。

民間企業が開発した英語試験には、問題に口頭で解答するスピーキング・テストがあり、一部の高校で採用されています。これからは試験だけでなく学校の授業でも、タブレットの音声機能を使うようになります。

地理や理科の授業では、写真や動画が多用される。そうすると、子どもたちの視線は教師をスルーして電子黒板とタブレットを行き来する時間が長くなる。「はい、先生を見て！」という教師のおなじみのかけ声は過去のものとなりつつある。

すでに一部の学校ではホワイトボード型の電子黒板を導入し授業に活用しています。電子黒板ではチョークは電子ペンに代わり、あらかじめ作成された文字や画像の教材をワンクリックで表示することもできます。タブレットの教科書と電子黒板が直接ネットで結ばれると、黒板に板書された言葉を子どもたちが懸命にノートに書き写すという、おなじみの教室風景もなくなる。電子黒板から子どもたちのタブレットへ、文字や画像を即座に送ることができるからです。

対話のデジタル化は不可能

デジタル化はネット化と表裏一体です。生徒や教師が持つ端末が完全にネットワーク化されると、学校という「場」そのものの存在意義が再考されることになるかもしれません。ネットのオンライン授業が一般的になると、生徒は四六時中、教室にいる必要がなくなる。自宅にいてもいいということになります。そのとき、学校という場には新たな意味づけが求められるはずです。教育教材のデジタル化は、授業のネット化を促進し、やがて学校という場の解体に進む可能性を秘めているのです。

すでに大学ではその兆候がみえます。学生が自宅のパソコンなどで講義のビデオをあらかじめ視聴して、教室では応用問題を解くという「反転授業」。これを行っている大学が急速に広がりつつあります。世界に目を転じると、一部の有名大学ではムーク＝MOOC（マッシブ・オープン・オンライン・コース）が始まっています。これはネットを利用した大規模な無料講義で、おもに米国の大学で運営が進んでいて、ネットで講義を受講したり試験も受けられる。人気の教授の講義を世界中で何万人も受講するという現象もあります。

反転授業やムークが大学から高校、あるいは中学、小学校へと広がっていくと、学校の授業がネット上に移行する。ネットは年齢、性別、人種、国籍を選びません。そのとき教育は開かれたメディアとなり、現在の年齢や地域にしばられた教育はなくなるかもしれません。

教育現場における言葉のデジタル化、ネット化は、教育の効率化をシステマティックに推し進めるためのものです。しかし結果として、どんな教育「効果」があらわれるのか、まだ何も分かっていません。社会全体がデジタル化しようとしているときに、教育だけが乗り遅れることはできないという、単なる時流としてＩＴによる「改革」が始まろうとしているのではないかとも思えます。

コロナ禍では、多くの学校で急場のオンライン授業が行われました。そこで問題になったのは、家庭にパソコンやタブレットのない子どものオンライン教育です。教育格差が思わぬところであらわれました。しかしそれ以上に問題なのは、オンラインで成果がともなう教育がどれだけ可能かということです。リアルな対面とオンラインの対面とでは、交換される情報量が格段に違います。微妙な表情、音声、仕草といったものを総合的に感じ取りながら、私たちはコミュニケーションをとっていますが、それらをもれなくオンラインにのせることはとてもむずかしい。さらにその場の空気感といった微妙だが確実に存在するものを共有するのは不可能です。

コロナ禍では、ビジネスの現場でもオンラインの会議システムが広く普及しました。私も使ってみましたが、自宅にいながらも、なぜかリラックスできない。そのぎくしゃくとした緊張した雰囲気になじめず、満足な対話ができませんでした。そこで感じたのは、人と人との対話は音声と映像の接続だけでは完全には成りたたないということです。本番の対話にはリアルで空間的な「場」が不可欠だということ。むしろその「場」がない対話は擬似的であり不自然で、コミュニケーションをむずかしくするように感じます。

私が怖いと思うのは、みんながオンラインに慣れてしまい、対話とはしょせんこの程度の情報交換にすぎない、と考えてしまうことです。

八歳で全員が常用漢字を覚える

その一方で、タブレットなど使わない斬新でアナログな授業方法を、試験的に行っている学校もあります。

話はいまから二五年ほど前にさかのぼります。愛知県の刈谷《かりや》市立亀城《きじょう》小学校でそれは始まりました。

新一年生の担任は深谷圭助《けいすけ》先生（現在は中部大学教授）です。彼にはそれまでの経験から、「言葉の吸収力は小学一、二年生がピーク。常用漢字一九四五文字（当時）は二年生までに覚えさせられる」という自信がありました。八歳の子ども全員に二〇〇〇字近くの漢字を覚えさせようというのです。

そこで新一年生には三、四年生から使い始める国語辞典をあえて使わせることを決断。前例のない無謀な学習方法でしたが、辞書を常時、机の上に置かせて、言葉を一つ引くと付箋を貼り、その意味をノートに書きとるというルールをもうけました。

言葉をたくさん手書きすることを重視した先生は「鉛筆から煙が出るほど字を書きなさい」と子どもたちを励ましました。ある児童は当時をふり返って「本当に煙が出るのかと思い懸命に書いた」といいます。貼りつけた付箋に番号をふるようになると、加速度的に付箋《ふせん》が増えていく。やがて付箋の数が隣の子との競争になる。こうやってクラス中が休み時間も惜しんで辞書を引くようになりました。

その成果はすぐにあらわれました。全校で辞書引きのコンクールが開催されたのです。問題用紙に書かれた言葉を辞書で探しだし、その意味をノートにとるという方法で児童が速さを競い合ったのですが、一年生たちが六年生たちに勝ってしまう。上位一〇人のほとんどが一年生という結果に、他の教師たちも呆《あき》れたといいます。辞書を引き慣れた彼らは素早く言葉を探りあて、ノートをとるのも速い。それは五年間の学習経験の差も覆すほどだったのです。

彼らが貼った付箋の数は多い子で五〇〇〇枚にもなる。辞書は分厚く膨らみ変形しました。国語辞典が使い古されてくると、それだけでは物足りなくなる。たとえば理科の授業では植物図鑑を持ちこむ子も出てきた。そのうちに児童の机の上には何冊もの辞書や図鑑が積み上げられるようになり、授業参観のおりに、保護者から「厚い本が倒れると危険だ」との声も出たといいます。

それから八年後、私はその子どもたちと保護者に会って話を聞きました。中学生になった彼ら全員が、いまだ机の上に辞書を置いて授業を受けているとのこと。中には六法全書も含まれているという話には驚かされました。

その後、家族でオーストラリアのメルボルンに引っ越して、現地の小学校にわが子を通わせたある母親は、「こちらでは毎日、たくさん宿題が出る。みんなパソコンで調べるのだが、うちの子はいつも図書館に行って辞書や本で調べる。辞書引き学習が身についている」といいます。中学生の彼らですから、もちろんパソコンも使います。しかし、日常的に手にしているのは紙の辞典や本です。

手書きが脳を活性化させる

現在、この「辞書引き学習」は一部の学校で実践されていますが、パソコン教育に力を入れる教育現場が多くなり、前途は多難です。なぜなら、この学習方法のポイントは紙の辞書を使うということだからです。

紙の辞書、事典は、いま電子辞書、事典に対してひどく旗色が悪い。それにはもっともな理由があります。たとえば広辞苑《こうじえん》を使うとする。まず重くて分厚いこの本を棚から取りだし、机の上で開かなければならない。これだけでも一苦労。対象となる項目を探しだすには、頭の中にある五十音の配列（これからの世代はこれさえ不必要？）を思い浮かべながら、数千ページに収められた無数ともいえる項目の中から言葉を選びだすことが必要です。

引いた言葉の意味は頭で記憶するか、紙に手書きで写しとるか、面倒でもコピーをとるかしなければなりませんが、電子辞書ならば、それらの手順を一気に省くことができます。紙の辞書の場合、人が頭と体を使って、言葉をたぐり寄せなければなりません。しかし、ページをめくり「引く」「書く」「覚える」ということの煩わしさが、実は言葉を身につけるということに役立つのです。

最近、私は簡単な漢字が書けない、ということがよくあります。もう三五年もワープロ機能の漢字自動変換にばかり頼って、手書きで字を書くことが減ったからです。もし小学生のころから、漢字の自動変換に慣れてしまうと、その子は漢字が読めても書けない大人になります。

ワシントン大学のニュースサイト「UWTODAY」に興味深い記事が掲載されました。その中で心理学者バージニア・バーニンガーは、パソコンにキーボードで文章を書く小学生と、ペンで紙に文章を書く小学生とを比較研究した場合、明らかに手書きのほうが速く正しい文章を書くことができたと報告しています。脳科学の分野でも指を使って書く行為は、脳幹の一部を活性化させるといわれています。現在では、キーボードで文字を打つことさえ古くなりました。ますます脳は退化するのでしょうか？

もっとも、こういう研究結果を持ちだすまでもなく、言葉は手で書くほうがよく覚える、ということを私たちは経験的に知っています。

文科省の学力調査でも「読書好き」と答えた子は、小、中学生とも全教科で正答率が高いという結果が出ています。一方で、メールやネットゲームをする時間が長い子ほど、すべての教科で正答率が低かったといいます。

記憶にない言葉で考えることはできない

ネット上にあふれている言葉にばかり頼るようになると、さらに深刻な問題を引き起こします。

コピペ（コピー&ペースト）はたいへん便利なもので、ほとんどの人が利用する機能ですが、学術論文における無断引用の事例では、この機能がよく使われたことが判明しています。一部の大学では提出された卒業論文について、コピペによる引用がないか、あらかじめ専用ソフトで調べてから審査に入るようにしていますが、それでも無断引用などがあとを絶たない。しかも問題は、不正な盗用を防げばそれですむというわけではありません。コピペなどの便利な機能が、人間の言語能力を貧困化させることも考えられます。

言葉がデジタル化されると、無限ともいえる文章の中から、欲しい文章を簡単に選び出し記録できます。かつては目的の言葉や文章にたどり着くまでに、辞書や本に目を通しながら時間をかけて調べました。このときテーマに合わない別の言葉に出合ったり、特に必要のない文章をついでに読んだりということがある。一見、むだに思えるこの「読む」行為も、実は読者の中に蓄積されて残っていく。人間の頭は、いつか役立つかもしれない言葉や知識があってこそ意味があるといえます。

辞書引き学習の良さもここにあります。そもそも辞書は必要だから引くものです。しかし辞書引き学習はいますぐ必要でなくても言葉を引く。「知りたい」という欲望が原点になる。だから授業には直接役立たない言葉もたくさん引く。その多くはむだになるわけですが、記憶のどこかに刻まれます。

辞書引き学習でよく耳にするのは「調べる言葉の前後にならぶ言葉にも注意がいって、

それらもついでに調べてしまう」という副次的な効果です。デジタル化した辞書では、こうした効果はなかなか期待できない。目当ての項目だけがたちどころに表示されてしまうからです。

一方、スマホやタブレットの利点を指摘する声もあります。スマホなど情報端末から言葉を検索閲覧すれば、たちどころにすべてのことが分かってしまう。スマホは世界最大の辞書であり、最新の知性が詰まった魔法の玉手箱なのだ、という意見を耳にします。だから人間は、記憶をスマホにまかせて、思考に徹すればいい。

しかし記憶されなかった言葉を使って思考することは不可能です。情報端末で検索するにも、その検索ワード、タグ情報が必要なのです。記憶が貧弱では何を検索していいか分からない。

手の平にのるスマホという情報端末画面が表現する世界は、そのサイズ分の狭いものです。それは世界というより、極小の「部分」でしかない。一方、事典は開いたページの背後に隠れた膨大な言葉と世界を常に意識させます。私は辞書を開いて調べるとき、自分が今見ているのは、膨大な世界のわずかな部分、塵《ちり》のようなものにすぎないと、いつも思います。大げさにいうと、世界の「知」への畏怖があります。これを少しでも解読したいという意欲が「教養」に通じるのだと考えています。
だから私たちは、紙の本を手放してはいけないのです。

紙の本が教えてくれる知性への謙虚さ

言葉のネット化が進んだ現代では、紙に書かれた言葉を読むという学習方法は、効率が悪いと切り捨てられようとしています。

今では、言葉は「記憶」するより「記録」して利用するものになりました。記録するのは自分の外部にあるハードディスクなどの記憶媒体の中。ここには一生かかっても使えない数の言葉を記録することができる。しかし、いくら記録しても自分の中に記憶されていない言葉は、物事を発想したり考えたりするときには役立ちません。それは「私は三〇〇〇冊の本を持っている。だから頭がいい」と威張っている愚かな人にたとえられるでしょう。読んでもいない、理解もしていない本をいくらたくさん持っていても、宝の持ち腐れでしかありません。

ネットの発達によって「言葉を理解し記憶する」という人間の能力そのものが衰退しよ

うとしているのかもしれません。端末画面を操作し表示項目の情報処理をしても、言葉を理解し思考することにはならない。

ときどき私は画面に「情報」を表示しただけで、それを理解した気になっている自分に気づいて慌てることがあります。そのときの言葉の理解は液晶板と同じように薄っぺらです。デジタル化された言葉は一画面にはぎ取られコピーされて、他の画面に流用される。それはまるで言葉が人を素通りして、勝手に漂っているかのようです。

以前、私は電子書籍を読んでみたことがあります。しかし、すぐに紙の本に戻った。理由は本の断片が切りとられ画面表示されるという、そのあり方に違和感がぬぐえないからでした。

いくら読み進めても手応えがない。灰色の画面に浮かぶ本の全体から切り離された断片的な文字の羅列では、作品世界に没入できないのです。コミックであれば作品ごとに絵が異なり、表示される画面の印象がまったく違ってきます。作品の個性が画面に視覚化されるのです。電子書籍の多くがコミックだというのも、そこに理由があるのかもしれません。

私はずっしりと重い事典のページをめくるたびに、その言葉の量に圧倒されます。いまだに知らないことがたくさんあり、自分は世界の何をも理解していないのではないかという思いを持つ。それはかつて少年時代の私が応接間の百科事典を開いたときと、同じ感覚です。紙の本である事典は、手に持って開くだけで、言葉の世界の広大さを視覚的にも身体的にも教えてくれる。この感覚はすべての本に通じるものです。本を手にするたびに私は、言葉というものと、それによって構成される知性というものに謙虚な気持ちになります。

しかし電子書籍などデジタル化された言葉には、まったく正反対の気持ちを持ちます。画面に表示された文字列は指先の操作でどのようにでも処理できる記号で、それを使い続けると、人は言葉に対する謙虚さを失っていく気がします。デジタル化した言葉にばかり取り巻かれていると、言葉や知性への態度が尊大に傲慢になっていくようです。

かつて教養という言葉が生活の中に生きていました。わが家の百科事典もその教養を象徴していました。やがて教養は廃れて、今は反知性主義が横行しています。教養、知性に代わって主役を務めるのが情報となり、その情報社会を駆動しているのがデジタル化した言葉です。教養や知性とは、人間と世界を理解しようとする態度そのもののことですが、それを支えるのはそんなデジタル化された言葉ではなく、やはり紙に記された言葉なのです。

第十章

スマホから逃れて
自分を取り戻す

SNSは呼吸と同じで、やめてしまうと
生きていけないのだといいます。

ところがそう思い込んでいるだけで、
ほんとうはなくても死なない。
そう気づいたとき、新しい対話ができる。
自分との対話です。

スマホが集中力を奪う

自分の半生をふり返って自分史を書こうと思い立った。資料を集め図書館に通い十分に準備をして、いざ原稿用紙に書き始めても、突如、筆が止まり出口が見いだせない。どうしたらいいか？　ずいぶん前に、そんな質問を受けました。難問です。魔法の答えなどありません。作家のヘンリー・ミラーは「自分の頭を棍棒《こんぼう》で殴りつけながら書くしかない」といったとか。

しかし今、そんな質問を受けたら、私はこう答えます。

「スマホのスイッチを切って、もう一度、図書館に通い、静かに心を落ち着けて書こう。図書館に通うことができるあなたは幸福だ」と。

みんながスマホに心を奪われて集中力を持続できない時に、本に囲まれた物静かな空間に身を置くことは、なんという贅沢《ぜいたく》でしょうか。

文章を書くことは容易なことではありません。私も日々、そのむずかしさを身にしみて感じています。パソコンに向かって原稿を書いていても、すぐにネットで検索を始めたり、動画サイトを開いたり、あるいはメールを書いたりと落ち着かない。たとえば一気に八〇〇字書いたとします。「よし、この調子ならきょうはたくさん書ける」と思いつつも、つい安心してネットを開く。そのままネットサーフィンを続けて、気がつくと一時間たっている。これではいけないと再び執筆に戻る。しかしいったん原稿から離れると、今度はなかなか調子が戻らない。そこでまたネットに。こうした悪循環で一日が終わることもあります。

執筆へ向かう持続力の欠如は、いわゆる老化現象でしょうか？　私の答えはノーです。ほんらい持っているはずの集中力が、何かによって奪われているのです。その何かとは、いうまでもなくネットにほかなりません。

私は仕事用のデスクトップ・パソコンからインターネット用のケーブルをはずして、ワープロ専用機にしています。執筆中、ネットサーフィンに「逃げる」ことがないようにするためです。調べたいことや、メールを送信する必要が出てきたら、そのつど書きとめておきディスプレーの端に付箋を貼っておいて、別のノートパソコンでまとめて片づけるようにしています。しかしそれでも筆が止まってしまったときなど、つい誘惑に負けてノートパソコンを開き、執筆を中断してネットに流されてしまうことがある。

しかしこれは昔の話です。スマホを使うようになってからは、状況はさらに悪化しています。私はスマホをデスクに置かないようにしています。つい手にとってしまうからです。

ネット依存という言葉を耳にしたことがあるでしょう。一日の大半をネットゲームに費やして体をこわしたり、食事中もSNSから離れられず、家族との会話も減って勉強も手につかなくなる高校生。そんな話はいくらでもあります。

神奈川県にある病院では、ネット外来というものを設けていて、依存症になった若者を受け入れています。ところが最近では、リタイアした高齢者のネット依存症が少しずつ増えてきているそうです。しかし今回、取り上げたいのはそうした社会問題化したネット依存についてではない。私たち自身に直結する思考そのものに関わる問題です。私はこれを「スマホ的思考」と呼んでいます。

これは大問題です。依存症はスマホ偏重の頂点にある症状です。その下には、私のようなスマホに邪魔されないように集中力を保とうと葛藤《かっとう》する人々が無数に存在している。腰をすえて物事に集中し取り組む。一人で熟考する。そんな行為が古くさいものになっていくようです。

スマホはユーザーの仕事時間、勉強時間、読書や思考の時間に介入して、時間を奪っていきます。スマホは集中力を妨げるのですが、スマホの中にも集中力に欠く散漫な世界が広がっています。ユーザーはスマホが提供するさまざまな画面をつぎつぎに渡り歩いていく。少しでもつまらないと思ったらすぐにスルーしてほかへ移動する。移動することで、長くスマホに止まるように仕組まれている。

これに慣れると、人はしだいに一つのところに止まることができなくなる。開いた画面に長文がつづいていると、うっとおしく感じて読まずに次に移っていく。

スマホ的思考とは、プロセスを無視して結論だけを見ようとする拙速さが特徴です。順序立てて物事を考え、結論を引きだすということがないのです。

これが今の社会の趨勢となっている思考のあり方で、大きな間違いを犯す可能性があります。

ネット離脱で文章が噴きだしてくる

ここで二八歳のフリーライターを紹介します。仮に名前を山口さんとしましょう。彼女はネットで今の仕事を見つけたという人で、毎日、ＳＮＳにアクセスしてメッセージを熱心に発信しています。けれど若い世代では、ごく一般的といえる程度のネットユーザーかもしれません。

そんな彼女のイメージにそぐわない、違和感のある品物を私は見せられました。表紙がよれよれに傷んだ三冊の大学ノートです。膨らんで厚みのあるノートは、手にとっただけでそれがよく使いこまれたものだということが分かりますが、実際に開いてみるとページは想像を超えた文字量で埋まっていました。小さな文字が罫線《けいせん》を越えて並び、余白が見あたらない。これらのノートがライターの仕事に就く五年ほど前、住みこみのバイト中に、たった一カ月で書かれたものだと知って、私は心底驚きました。

バイト先は九州地方にある島の山小屋でした。当時の山小屋はスマホの圏外でした。使うときは徒歩で一五分ほど登った場所にある展望台まで行かなければならない。彼女にはネットで言葉をかわし、メールをやりとりしている恋人がいたのですが、せっかくの休み時間の半分を展望台への往復に費やすのがしだいに負担になってきます。四、五日たつと、彼女はとうとうスマホを使うのをやめてしまいました。ネット上に言葉を発していないという反動でしょうか。空き時間をみては持参したノートに向かうようになりました。その日あったこと、考えたことを自由に書き連ねる日記です。何かに憑《つ》かれたようにペンを走らせていたといいます。

現在、彼女は文章を書く仕事をしているほどの人ですから、もともと書くことが好きだったはずです。ネットに囲まれた環境から「離脱」したとたん、重石《おもし》がはずれたかのように文章が噴きだしてきたのです。

しかし、バイトをやめて東京での生活環境に戻ると、たちまち元通りのネット漬けの生活になったといいます。

「スマホのSNS画面だと、自然にすらすらと何でも書けるのに、いざパソコンのスイッチを入れてワードの真っ白な入力画面を前にすると、書く意欲が出てこない」というのが、彼女の目下の悩みだといいます。

原稿用紙にはしぼりだすように書く

スマホが誕生して、若い世代を中心にユーザーが広がり始めたのは一〇年ほど前です。そのとき私は、スマホを小型のパソコンとケータイが合体したものと見ていました。しかしパソコンに比べると能力は低いし、ケータイに比べると持ち運びには大きすぎるし、通話の音質も悪そうだ。そんな印象をもっていた。しかし山口さんの話を聞いたとき、スマホはケータイともパソコンとも異なる、得体の知れない新しい情報ツールなのかもしれないと思いました。

冒頭に紹介した原稿用紙の前で書きよどんでいる人と、スマホに「自然にすらすらとなんでも書ける」山口さんは対比的です。ただスマホにすらすら書いたものと、情報が断絶した島でノートに書きつづったもの、あるいは原稿用紙にしぼりだすように書いたものとでは、その人にとっての意味、価値が異なるように見えます。一方はあっという間に流れて消えていく川の水で、もう一方は深い井戸に湧く水です。私にとっては汲《く》み上《あ》げられる水のほうが価値がある。

若い人がスマホに書きこむ言葉は概して会話的で、機関銃の弾丸のように速射される。吟味された言葉は少ない。そんなところが「書きやすさ」の秘密なのでしょう。しかしそれは言葉が思考をともなわない、反射神経の産物のようなのです。

ネットでメッセージを発信すると、別の人からすぐに反応があります。このネット特有のスピードと双方向性は、郵便で送る手紙や日記にはない魅力です。これが気持ちを高揚させたり、快感をもたらしたりします。閲覧した人が返事をくれる。「いいね」ボタンをクリックして応援してくれて、メッセージや画像をリツイート、シェアしてくれたりする。

そのレスポンスの高さが、またメッセージを送ろうという動機づけになる。こうして人はSNSの虜になっていく。

ネットは他者からの「承認」を得て、自分を支え保つための格好のツールともなります。また孤立しがちな子育て中の若い母親や難病や依存症に苦しむ患者らの交流など、仲間同士の精神的な支えをネットが果たしている場合もあります。

しかし同時に、そこには大きな落とし穴が潜んでいます。たとえば「いいね」クリックを欲しいがために、さして興味もない新規開店のレストランに足を運んだり、人々の関心を集めようと事実を粉飾して伝えたりすることもある。さらに日々をネットの小ネタ探しに費やす人もいます。一部の人たちにとっては、他者からの共感を得て承認欲求を満たす唯一の手がかりとなっています。

SNSに思考を合わせる

「最近、どこに行っても何を見ても、ネットでこう発信しよう、どう撮影して見せようか、と無意識に考えている自分に気づき、ハッとしました。いつもネットを基準にしていて、

ほんらい自分がもっているものの見方や興味のあり方を忘れてしまっている。これは恐ろしいことだと思いました」（山口さん）

そのことに思いいたったきっかけは、あの三冊の大学ノートでした。数年前の自分はこんなにも豊富な言葉を持っていたが、それに比べてネットで毎日発信している最近の言葉は、ありきたりで無意味なものばかりだ。そう気づいて、愕然《がくぜん》としたといいます。

私は彼女のこの発言を耳にして、思わず膝を打ちました。いま、ネットが社会を、人と人との関係を大きく変えていますが、それだけではなく人間の思考そのものも変えているのではないか、と気づかされたのです。

若い世代を中心に多くの現代人にとってSNSは、息を吸ったり吐いたりするのと同じくらい無意識に近い、自然呼吸のような存在になっています。これにどっぷり浸かった人の頭の中が、手の平サイズのフレームに収まるほど狭小で、なおかつ独創性の欠けるものになりつつあるのではと危惧するのです。

その一つのあらわれが短文化です。アメリカではネットの文章に対して、ＴＬＤＲ（トゥー・ロング・ディドント・リード）という四文字が返されることがあります。つまり「長すぎて読めなかった」という意味です。ＳＮＳでは短文が基本です。一、二行ですませるというのがセオリーで、それ以上だと読んでくれないことも多い。いや、むしろ長い文は「失礼！」だという。

最近では、ビジネス上の企画書もスマホの一画面で読み切ることができるほど短く簡潔でなければならなくなっている。

また、短文化は文章を簡素に、そして定型に収めようとします。それを補うように記号やマークが多用されて、画像が重宝がられる。ライブ感とスピードも重要だから、言葉は練られることもなく貧困な表現の反復になる。ＳＮＳでは、毎日、何度もメッセージを発信するので、いちいち感慨にふけったり記憶をたどりながら深く考えていては、とても間に合わないわけです。

使っているつもりが「使われている」

さらに問題なのは「いいね」クリックです。これをたくさんとるには、誰にも分かりやすい、そして平均的な価値観や感覚からはずれないメッセージでなければならない。ユニークで独創的な、あるいはクリティカル（批判的）な主張などは敬遠されます。つまり当《あ》たり障《さわ》りのない「ちょっと面白い」というのが、理想的な表現となります。山口さんのように、もともと言葉への素養があり、ケータイのない一カ月間を過ごすという特異な経験をした人ならば、自己の視界と思考が、SNS的な狭く深みのない枠の中に押しこめられていたと気づくこともあるのですが、多くのユーザーはそれに自覚のないまま人生を過ごしていくことになるのかもしれません。

このようにSNSを主戦場として言葉をくりだすうちに、他者の視線に合わせるように自分の思考そのものが、実に平均的で奥行きの欠けたつまらないものに変化していく。

「日々、書きこんだメッセージも読み返すことなく忘れていく。それは自分の言葉として消化しないまま、惰性で発信しているからでしょう」(山口さん)

たとえば遊歩道で一匹の猫を見かけたとする。すぐさまスマホをかまえて写真を撮り、「〇〇で猫ちゃん発見!」などとメッセージを添えて発信する。それで終わり。向こうにコスモスが咲いていたら再び写真を撮って発信となる。そうしていくうちになんとなく充実した気分になる?

しかし、情報端末をバッグにしまい込んだまま歩く、SNSに興味が薄い人なら、まったく異なった猫との遭遇になるはずです。猫は素材=「ネタ」ではなく、命をもった生き物。それとの出合いを通して新たな感情や記憶が蘇《よみがえ》り、さまざまな考えが浮かんでくるかもしれません。

私は猫を見ると、猫アレルギーで病院に担《かつ》ぎこまれた幼い頃の記憶がときどき蘇ります。猫を眺めながら、当時の記憶をたどることもあります。以前、黒い猫を見かけて、少年時代に読んだエドガー・アラン・ポーの小説『黒猫』の恐ろしいストーリーが思い出され、再読しようと本を買い求めたこともありました。

しかしＳＮＳでは、こうした長々とした文章の「寄り道」はむだであるばかりか、個人の生々しい内面を露出させるものとして嫌われたりします。むだな思い、余計な言葉こそ思考となり発展し深化することもあるのですが、同調性や簡潔性が求められるスマホ的世界では無意味なのです。

私は若いころ海外旅行に行って、撮ってきた膨大な数の写真を見ながら、見覚えのない景色がたくさん出てくるのに閉口したことがあります。写真を撮ることに夢中で、現地でそのものをよく見ていなかったのですが、それと同じことが、ＳＮＳでは毎日反復されているような気がします。つまり、むだのない簡潔で分かりやすい情報を大量に送受信しているが、記憶に残るような心に届く内容はわずかだということです。

にもかかわらず、なぜ人はSNSから逃げられないのでしょうか。

『ネット・バカ』(ニコラス・G・カー著)という本は、SNSは「脅迫的社交」を作りだすと述べています。いったん「参加」するとなかなか抜けられないのです。さらに困ったことは、ネットのつながりに従属している自己に無自覚になってしまうことです。

私もネットを使っているつもりが「逆に使われているな」と思うことがある。パソコンで調べものをするとき、検索ワードをどう選択するか? 私のネット歴は二五年ほどですが、検索ばかりしてきたおかげで、どんなキーワードを入れると早く対象に到達できるか、だんだん分かるようになっています。しかしこれは裏返していえば、検索エンジンの仕組みに慣らされ、自分の言葉がシステムに従属させられているということでもあります。

スマホ的思考を捨てよう

最近のスマホユーザーは「検索」もやらなくなっているという話をききました。パソコンではなくスマホ全盛の時代になってからは、他者とのメッセージのやりとりばかりになって、物事を「知りたい」という意欲さえなくしているというのです。

なぜ人々は、ＳＮＳの罠から抜けだせないのでしょうか。それは社会そのものが、ＳＮＳ化しつつあるからではないかと私は思います。

これを理解するには皆（集団）と私（個人）という二分法を使って考えていくと簡単です。ＳＮＳは「皆」の側に属していて、人とのつながりを基本としています。それに対して考える、あるいは本を読む、書くという行為は「私」に属しています。もしもネット上のつながりばかりに興味がいき、自力で考えることや、読み書きがおろそかになっているとすると、それは思考の軸足が「私」ではなく「皆」にあるということ、これすなわちＳＮＳ的人間になっているということです。

紙に記された書き言葉は「私」に属していますが、ネット上を行き交う言葉は「皆」に属しているのです。

読むという行為は文を通して考え、自分と向き合うということですし、書くということはまぎれもなく自己との対話にほかなりません。

一方、ネットでメッセージを発信するのは何よりも誰かとつながるということを目的とします。「つながり」「絆」を強調する最近の社会的風潮は、ＳＮＳ的な価値観のあらわれでもあります。

「私」の側にある言葉は、ときに自分の奥深くに分け入って苦闘したり、また真理を解き明かそうと、時間をかけて言葉を費やしながら努力しますが、「皆」の側にあるネット上の言葉は、他人とつながるための道具として使用される。道具だから、その言葉自体が重要なのではなく、相手を瞬間的に引きつけるロープとして必要なものであって、用がすめばすぐにいらなくなるのです。

また従来の書き言葉は、本のようにいったん記されると長い間そこにとどまりメッセージを発信しつづけます。しかし、ネット言葉は「流れ」のなかにあります。書き言葉がストック、ネット言葉がフロー。対比的に整理するとこうなります。書き言葉が「私」の中に掘られた井戸に溜まっていくとすれば、ネット言葉は「皆」の間を川のように流れていく。SNSで発信した言葉は、三日もすればすっかり忘れ去られてしまいます。むしろ忘れられるということを前提に発信されているといっていいかもしれません。

現代社会の言葉はSNSなどに流れるネット言葉の影響によって透明のラップのように薄くなり、しだいに意味を失いつつあるように思えます。紙の上の活字がデジタル文字によって一掃されつつあるようで、私は不安になります。

というのも、SNSが「個」の発信ではなく、結果として「集団」への従属を促進する装置のように見えるからです。「私」を伝えているように見えながら、実は「皆」に溶けこむために発信されている言葉、それによって組み立てられるのが、スマホ的思考です。

これまでの社会は、自立した個人の成長や成熟を「読むこと」「書くこと」「生の対話」によって実現しようとしてきました。しかし現代のスマホ中心の情報社会は、個人の自立的な思考よりも、集団への参加とつながりを第一義的に考えるように、人々の内面を知らないうちに変化させているのではないでしょうか。

時に「私」は「皆」と対立することもあるはずですし、社会はそれを許容するものでなければならないはずです。もしもSNSなどのネット社会が、集団のなかで個人が自立的に考え、自己形成を行うことをはばむものとして存在しているのなら、私たちはそれに対して、何らかのかたちで「ノー」を突きつける必要があると思います。

あとがき――ネットは透明な厚いベールに包まれている

今、子どもからシニア世代までスマホを使いこなすようになりました。スマホは暮らし、仕事、人間関係を維持する大前提のツールとなっています。

家を失いネットカフェで寝泊まりしていた人が、アルバイト先を雇い止めとなり、スマホも料金滞納で止められたとき、ついに死を覚悟したという話を耳にしました。その人にとって仕事につくための最後のよりどころがスマホだったのです。人間が命をつなぐ必要条件は衣食住といいますが、現代のような情報社会では、スマホも必要不可欠な生命線といえるかもしれません。

将来、スマホは形を変えて、呼び名も変わるかもしれません。しかしスマホはなくなってもデジタル・ネットワークは残ります。むしろより高度で高速なシステムとして「進化」していくかもしれません。

そのネットが登場したころ、世界の若者たちは熱狂しました。誰もが平等に、そして自由に泳ぐことができるこの広大な情報の海が、新しい文化を創造し、社会をよりよいものに変えていくと楽天的に考えていました。実際にアラブ諸国の一部で起こった民主化の運動は、ネットがなければ達成されなかったかもしれません。

しかしネットの自由と平等の神話は、つかの間の「夢」でした。現実は、あまりに素早く巨大に進化しすぎたネットに、それを生みだした人類が翻弄されている。ネットを牛耳る数社の企業、そして一部の国家は、収集したビッグデータによって私たちの動向を把握し、意識を誘導する術を手に入れているかのようです。開かれたはずのネットワークはベールに包まれ、内実はよく分からない。にもかかわらず私たちは無抵抗のまま、ネットへの依存性を高めていくばかりです。

私には、ネットがものの考え方といった人間存在の根本で、いま世代間の断絶を引き起こしつつあるように思います。世界中に張りめぐらされた金融ネットワークは貧富の差を増大させました。ネットはユーザーのもつ思考の偏りを煽《あお》って、人々に厚い分断の壁を作り続けています。

いったい私たちはどうすればいいのでしょうか。はっきりとした答えはありません。ただ言えることは、スマホとネットの運営を巨大企業や国家にだけまかせるのではなく、そこに人々の目を民主的に参画させる手だてを見つけるしかないということです。

情報技術の進化の速さをみていると、あまり時間はないように思います。気がつくと、意識そのものがネットにしっかり組みこまれているというディストピアに私たちは生きている、ということにもなりかねません。

そこで私は、スマホのスイッチを切り、いったんネットと距離をとる、そんな時間を設けようと思います。ふだんネットに引きずられている頭をいっとき休め、本を読み、散歩に出かけ、コロナ禍が終わった後は、リアルな語らいの場を存分に楽しもうと願っています。そうすることで、スマホにじゃまされない自立した思考を保っていこうと思います。

本書は『スマホ断食　ネット時代に異議があります』（二〇一六年／小社刊）を大幅に加筆・修正の上、再編集したものです。

藤原智美　ふじわら・ともみ　（小説家）

一九五五年、福岡県生まれ。九二年、『運転士』で第一〇七回芥川賞受賞。ノンフィクション作品にはベストセラー『「家をつくる」ということ』『暴走老人！』のほか、ネット社会の問題点を明らかにした『検索バカ』『ネットで「つながる」ことの耐えられない軽さ』『つながらない勇気』がある。最新の著作に『人として生まれたからには、一度は田植えをしてから死のうと決めていました。』。

http://tm-fujiwara.cocolog-nifty.com/

潮新書 039

スマホ断食　コロナ禍のネットの功罪

2021年　8月5日　初版発行

著　者｜　藤原智美
発行者｜　南　晋三
発行所｜　株式会社潮出版社
〒102-8110
東京都千代田区一番町6　一番町SQUARE
電話　■ 03-3230-0781（編集）
　　　■ 03-3230-0741（営業）
振替口座 ■ 00150-5-61090

印刷・製本｜　中央精版印刷株式会社
ブックデザイン｜　Malpu Design

ISBN978-4-267-02301-9　C0295

潮新書　好評既刊

対決！日本史2　幕末から維新篇
安部龍太郎　佐藤 優
〝この国〟の病根に迫る近代史シリーズ始動！　明治維新は世界に誇れる歴史か。さらに深みを増す歴史洞察によって時代の転換点がもたらした功罪を見極める！

目の見えないアスリートの身体論
伊藤亜紗
2016年リオ・パラリンピックで活躍したブラインド・アスリートたちとの対談を通して、気鋭の科学者がおもしろくも不思議な「目で見ない」世界に迫る！

東京オリンピック1964　サムライたちの挽歌
松下茂典
1964年東京オリンピックで日本中を沸かせた選手たち。その人生の「光と影」を、徹底した取材で描き出した渾身のノンフィクション！

阪神VS巨人　「大阪」VS「東京」の代理戦争
橘木俊詔
伝統の一戦になぜファンは燃えるのか？　球団設立以来の歴史、対戦成績、有名選手列伝、経営形態と親会社、大阪と東京の県民性…。虎キチ経済学者が分析！

終わらない「アグネス論争」
アグネス・チャン
三人の息子はスタンフォード大学に入学！　その子育て法で、当時話題になったアグネスが語る、仕事も子育てもがんばる女性たちへのメッセージ！